First Readings in
French Masterpieces

First Readings in French Masterpieces

CHRISTIAN GAUSS

PRINCETON UNIVERSITY

HENRY A. GRUBBS

OBERLIN COLLEGE

Appleton-Century-Crofts, Inc.

NEW YORK

Preface

First Readings in French Masterpieces is the result of the editors' belief that, if a reading knowledge of French is the chief objective of the average student, such knowledge need not be obtained by reading only second-, third-, fourth-, or fifth-rate prose of the late nineteenth century; that it can be obtained in a more worth-while and stimulating way by reading the easy classical French of the seventeenth and eighteenth centuries and the first-rate writers of the nineteenth century. The book is an elementary reader for college students. It represents an effort to give texts of high literary merit, carefully selected, arranged and edited in such a way that they will conform to a graded vocabulary of progressively increasing difficulty. It is intended to be used in the latter part of the first semester or in the second semester of a college beginning French course, that is, at the point where a student will have covered the main essentials of elementary grammar and acquired a vocabulary of 200 to 400 items.

Choice of texts. The following principles guided the editors in their choice of texts:

1) All texts chosen should be of high literary merit.

2) They must offer a balanced ration of reading: the different periods of French literature from the Middle Ages to 1900 should be represented, samples of different genres (folk tale, autobiography, comedy, short story, lyric poetry, familiar letter) should be given, and the subject matter should be varied, running from humor to pathos, from sentiment to satire, from serious moralizing to witty social repartee.

v

3) Complete works or complete episodes should be given, and given in the form in which the author wrote them, without any attempt at revising them to fit an arbitrary vocabulary system.

Grading of vocabulary. The "Basic French Vocabulary," edited by Tharp, Bovée, etc., and published in the *Modern Language Journal* of January 1934, is the standard used in grading the selections in this reader as to vocabulary difficulty. For each selection a certain portion of the "Basic French Vocabulary" was taken as *basic* (i.e., it was assumed that the words contained in such section or category might be considered to be more or less familiar to the student at that stage of his progress). All words not found in the given portion of the "Basic Vocabulary" (never more than ten per cent of the total number of words in the selection), were either translated at the bottom of the page or included in a small Word Recognition List preceding the selection. As the selections increased in difficulty, the portion of the vocabulary considered as basic was enlarged. The following table will show the grading of the selections:

SELECTION	BASIC VOCABULARY
1. Contes populaires (approximately 7500 words of text)	Assumes vocabulary of approximately 600 words (1a category of "Basic French Vocabulary")
2. Quelques pages d'autobiographie (approximately 6000 words of text)	Assumes vocabulary of approximately 1200 words (1a, 1b categories of "Basic French Vocabulary")
3. Il faut qu'une porte soit ouverte ou fermée (approximately 6000 words of text)	Assumes vocabulary of approximately 1800 words (1a, 1b, 1c categories of "Basic French Vocabulary")

4. Réflexions morales, contes (approximately 15,000 words of text)

Assumes vocabulary of 1800 words (1a, 1b, 1c categories of "Basic French Vocabulary." All 2a words of "Basic French Vocabulary" found in the text are given in Word Recognition Tables.

5. Poésies lyriques, lettres (approximately 4500 words of text)

Assumes vocabulary of 2400 words (1a, 1b, 1c, 2a categories of "Basic French Vocabulary")

Word Recognition Tables. At frequent intervals so-called Word Recognition Tables are provided. These are tables (with translations) of certain types of words which are thus called to the student's attention as being especially important or especially easy to learn. Cognates not easily recognized and derivatives are included. It is assumed that the student will have no trouble with obvious cognates. Words which look like cognates, but are not, are also given, since it is desirable to call these to the student's attention. In the text, words that have been given in the preceding Word Recognition Table are identified the first time they occur by a small cross—thus: caporal [×]. Each Word Recognition Table concerns only the selection or selections immediately following it, up to the next Word Recognition Table.

Translated words. Words not found in the basic vocabulary or in the Word Recognition Table of a given selection are translated at the bottom of the page. A word is so translated only once in each selection. In the text, translated words are followed by a small degree sign—thus: bourse[°]; at the bottom of the pages they are placed in the order in which they occur on the page.

Vocabulary. It goes without saying that neither the student nor the teacher is obliged to make use of the graded vocabulary devices provided. A complete vocabulary of the regular type is given at the end. It contains all words found in the texts except obvious cognates and simple parts of speech such as pronouns, articles and the most common prepositions and conjunctions.

C. G.
H. A. G.

Table of Contents

(handwritten annotation: "begin with" next to Prosper Mérimée)

First Readings in
French Masterpieces

Contes° populaires et traditionnels

These five tales are typical examples of the French popular or traditional tale. The first two come from the collection *Contes des provinces de France* formed by Paul Sébillot. *Les deux fiancés* is a legend of Brittany told by Paul Sébillot. It is a tragic story of the supernatural and is of a traditional type that may be found in the folklore of many peoples. Perhaps the best-known version of this type of legend is the German ballad *Lenore* by Bürger. *La bourse, le sifflet et le chapeau* is a comic fairy story from Lorraine. It had been published earlier by Emmanuel Cosquin in *Contes populaires lorrains*. Its popular origin is evident. A fairy story in which a princess cheats at cards and is punished for it by a common soldier is rare and refreshing! The third and fourth stories are *fabliaux*. The *fabliaux* were popular stories in verse written in the middle ages. These particular ones are found in manuscripts of the thirteenth century. The modern French versions given here are by Legrand d'Aussy and were published in *Fabliaux ou contes*, Paris, 1829. *Du convoiteux et de l'envieux* is a very moral tale. Its morality is typical of the middle ages, when sin was sin, and when storytellers endeavored to bring out the ugliness of sin by ingenious allegories with decisive, striking conclusions. *Du palefroi gris* is an entirely dif-

conte tale, story

For an explanation of the graded vocabulary system, the Word Recognition Tables and the words translated at the bottoms of the pages, see the preface.

ferent type of tale. It shows some traces of the influence of the medieval romances of courtly love, but the tone is more *bourgeois,* more calculated to appeal to the middle-class audience for which the *fabliaux* were composed.

The fifth story, far more famous than the others, is also far more important as literature. Among the many popular or traditional tales of France that have survived to the present, one group has won the world-wide renown that is granted only to works of genius. That is the group of fairy stories entitled *Histoires et contes du temps passé* ("Stories and Tales of the Past") or *Contes de ma mère l'Oye* ("Tales of Mother Goose") and better known simply as *Contes de Perrault.* These tales, published in 1697, are generally believed to have been written by Charles Perrault, though when they appeared they were ascribed to his third son, who was a boy of nineteen. Perrault (1628–1703) was a well-known man, an Academician, who had engaged in a celebrated literary controversy with the great critic, Boileau. Apparently he hesitated to sign his name to a work in a genre considered quite inferior, cultivated especially by women and for the amusement of children. Yet his fame rests upon these stories. The materials for them were not new; they probably came to the author by oral tradition. But their principal charm (for adult readers, at least) consists in the manner in which they are told; it is the part contributed by Perrault which made them immortal. To convince oneself of that one has merely to compare one of these stories with any other folklore version of the same theme. The real flavor of the stories can be relished only when they are read in the original; their style represents an excellent balance between classical elegance and simplicity, and homely realism. *La Barbe-Bleue,* given here, contains the fewest magic or supernatural elements, and is the most dramatic and realistic of all the stories.

WORD RECOGNITION TABLE

1. *Cognates not easy to recognize*

affliger to afflict
aimable amiable
bonne chère good cheer
bride bridle
caporal corporal
carte card
choix choice
conclure to conclude
confiance confidence
confier to confide
courtoisie courtesy
coutelas cutlass
couvrir to cover
dégoûter to cause disgust to
désobéissant disobedient
dessein design
dévorer to devour
écarlate scarlet
échapper to escape
enfance infancy, childhood
événement event
faible feeble, weak
faucon falcon
ferme farm

forêt forest
se hâter to hasten
hélas alas
juger to judge
magnifique magnificent
mousquetaire musketeer
oncle uncle
palais palace
palefroi palfrey
périr to perish
posséder to possess
poterne postern
prière prayer
promettre to promise
rassurer to reassure
ravisseur ravisher
réduire to reduce
repentir repentance
retour return
rocher rock
satisfaire to satisfy
sauver to save
soumettre to submit
suggérer to suggest

2. *Apparent cognates with different meanings*
   (The apparent cognate is given in parentheses, the real meaning afterward.)

ajustement (adjustment) dress
cavalier (cavalier) horseman
chagriné (chagrined) saddened

chasse (chase) hunt
défendre (defend) *sometimes* to defend; *also* to forbid

défiant (defiant) suspicious

désespérer (despair) to cause despair to, grieve deeply

dragon (dragon) dragoon

éloge (elegy) eulogy

fiançailles (fiancé) betrothal

front (front) forehead

futur (future) fiancé

hardiment (hardily) boldly

honnête (honest) decent, well bred

indigne (indignant) unworthy

journée (journey) day

médecin (medicine) doctor

menacer (menace) to threaten

pousser (push) *sometimes* to push; *also* to grow

rage (rage) violent desire

sûreté (surety) safety

valeur (valor) worth

vaciller (vacillate) to sway

vertu (virtue) power

3. *Derivatives*

autrui (autre) another

déplaire (dé + plaire) to displease

don (donner) gift

infortuné (in un + fortune) unfortunate

injuste (in un + juste) unjust

jeunesse (jeune + *noun ending*) youth

malheureux (mal + heureux) unhappy

noirceur (noir + *noun ending*) blackness, treachery

pauvrette (pauvre + *diminutive ending*) poor thing

ravoir (re back, again + avoir) to have again, get back

refermer (re back, again + fermer) to close again, close

voisinage (voisin + *noun ending*) neighborhood

La bourse,° le sifflet° et le chapeau°

Il était une fois° trois frères,° le sergent, le caporal,× et
l'appointé,° qui montaient la garde dans un bois.

Un jour que c'était le tour de l'appointé, une vieille
femme vint à passer près de lui et lui dit:

— L'appointé, veux-tu que je me chauffe° à ton feu?   5

— Non, car si mes frères s'éveillaient,° ils te tueraient.°

— Laisse-moi me chauffer et je te donnerai une petite
bourse.

— Que veux-tu que je fasse de ta bourse?

— Tu sauras, l'appointé, que cette bourse ne se vide° 10
jamais. Quand on y met la main, on y trouve toujours cinq
louis.°

— Alors, donne-la-moi.

Le lendemain,° c'était le caporal qui montait la garde, la
même vieille s'approcha de lui.   15

— Caporal, veux-tu que je me chauffe à ton feu?

— Non, car si mes frères s'éveillaient, ils te tueraient.

— Laisse-moi me chauffer, et je te donnerai un petit
sifflet.

— Que veux-tu que je fasse de ton sifflet?   20

— Tu sauras, caporal, qu'avec mon sifflet, on fait venir

bourse purse	**chauffer** to warm
sifflet whistle	**s'éveiller** to wake up
chapeau hat	**tuer** to kill
il était une fois once there were	**vider** to empty
frère brother	**louis** *gold coin worth twenty francs*
appointé private soldier (*receiving higher pay than ordinary privates*)	**lendemain** next day

5

en un instant cinquante mille hommes d'infanterie et cinquante mille hommes de cavalerie.

— Alors, donne-le-moi.

Le jour suivant, pendant que le sergent montait la garde,
5 il vit aussi venir la vieille.

— Sergent, veux-tu que je me chauffe à ton feu?

— Non, car si mes frères s'éveillaient, ils te tueraient.

— Laisse-moi me chauffer, et je te donnerai un beau petit
chapeau.

10 — Que veux-tu que je fasse de ton chapeau?

— Tu sauras, sergent, qu'avec mon chapeau on se trouve
transporté partout où l'on veut être.

— Alors, donne-le-moi.

Un jour l'appointé jouait aux cartes ˣ avec une princesse;
15 celle-ci avait un miroir dans lequel elle voyait le jeu° de
l'appointé: elle lui gagna sa bourse. Il s'en retourna au
bois bien triste,° et il sifflait° en marchant. La vieille se
trouva sur son chemin.

— Tu siffles, mon ami, lui dit-elle, mais tu n'as pas le
20 cœur joyeux.

— En effet, répondit-il.

— Tu as perdu ta bourse?

— Oui.

— Eh bien! va dire à ton frère de te prêter° son sifflet;
25 avec ce sifflet tu pourras peut-être ravoir ˣ ta bourse.

— Mon frère, dit l'appointé au caporal, je crois que si
j'avais ton sifflet, je pourrais ravoir ma bourse.

— Et si tu perdais aussi mon sifflet?

— Ne crains rien.

jeu game, hand (*in cards*)	**siffler** to whistle
triste sad	**prêter** to lend

L'appointé prit le sifflet et retourna jouer aux cartes avec la princesse. Grâce à son miroir, elle gagna encore la partie° et l'appointé fut obligé de lui donner son sifflet. Il revint au bois en sifflotant.°

— Tu siffles, mon ami, lui dit la vieille, mais tu n'as pas 5 le cœur joyeux.

— En effet, répondit-il.

— Tu as perdu ton sifflet?

— Oui.

— Eh bien! demande à ton frère de te prêter son cha- 10 peau; avec ce chapeau tu pourras peut-être ravoir ta bourse et ton sifflet.

— Mon frère, dit l'appointé au sergent, je crois que si j'avais ton chapeau, je pourrais ravoir ma bourse et mon sifflet. 15

— Et si tu perdais aussi mon chapeau?

— Ne crains rien.

L'appointé retourna jouer aux cartes avec la princesse, et elle lui gagna son chapeau. Il revint très chagriné× et trouva la vieille dans le bois. 20

— Tu siffles, mon ami, dit-elle, mais tu n'as pas le cœur joyeux.

— En effet, répondit-il.

— Tu as encore perdu ton chapeau?

— Oui. 25

— Eh bien! tiens, voici des pommes°; tu les vendras° un louis pièce; il n'y aura que la princesse qui pourra en acheter.°

partie game, match	**vendre** to sell
siffloter to whistle softly	**acheter** to buy
pomme apple	

L'appointé alla crier ses pommes devant le palais.[×] La
princesse envoya sa servante voir ce que c'était.

— Ma princesse, dit la servante, c'est un homme qui vend
des pommes.

5   — Combien° les vend-il?

— Un louis pièce.

— C'est bien cher, mais n'importe.

Elle en acheta cinq, en donna deux à sa servante et
mangea les trois autres; aussitôt° il leur poussa[×] des cor-
10 nes,° deux à la servante, et trois à la princesse. On fit venir
un médecin[×] des plus habiles° pour couper les cornes, mais
plus il coupait, plus les cornes grandissaient.°

La vieille dit à l'appointé.

— Tiens, voici deux bouteilles° d'eau,° l'une pour faire
15 pousser des cornes, l'autre pour les enlever.° Va-t'en trouver
la princesse.

L'appointé se rendit° au palais et s'annonça comme un
grand médecin. Il employa pour la servante l'eau qui faisait
tomber les cornes; mais pour la princesse, il prit l'autre
20 bouteille, et les cornes devinrent encore plus longues.

— Ma princesse, lui dit-il, vous devez avoir quelque
chose sur la conscience.

— Rien, en vérité.

— Vous voyez pourtant que les cornes de votre servante
25 sont tombées, et que les vôtres grandissent.

— Ah! j'ai bien une méchante° petite bourse ...

combien for how much?	**bouteille** bottle
aussitôt immediately	**eau** water
corne horn	**enlever** to remove
habile clever	**se rendre** to betake oneself, go
grandir to grow bigger	**méchant** bad, poor, inferior

— Que voulez-vous faire d'une méchante petite bourse, ma princesse? donnez-la-moi.

— Vous me la rendrez° ?

— Oui, ma princesse, certainement, je vous la rendrai.

Elle lui donna la bourse, et il fit tomber une des trois 5 cornes.

— Ma princesse, vous devez encore avoir quelque chose sur la conscience.

— Rien en vérité ... J'ai bien un méchant petit sifflet ...

— Que voulez-vous faire d'un méchant petit sifflet, ma 10 princesse? donnez-le-moi.

— Vous me le rendrez?

— Bien certainement.

Il fit tomber la seconde corne, mais il en restait encore une.   15

— Vous devez encore avoir quelque chose sur la conscience.

— Plus rien en vérité ... J'ai bien un méchant petit chapeau ...

— Que voulez-vous faire d'un méchant petit chapeau, ma 20 princesse? donnez-le-moi.

— Vous me le rendrez?

— Oui, oui, je vous le rendrai ... Par la vertu× de mon petit chapeau, que je sois avec mes frères.

Aussitôt il disparut, laissant la princesse avec sa dernière 25 corne. Quand je la vis l'autre jour, elle l'avait encore.

Conte lorrain

rendre to return

Les deux fiancés

Un garçon° et une jeune fille qui se faisaient la cour° depuis longtemps avaient promis de se marier ensemble, et de s'être fidèles° même après leur mort.

Quelque temps après cette promesse, le jeune homme,
5 qui était marin,° partit en voyage et il mourut sans que sa bonne amie fût informée de sa mort.

Un soir, il sortit de sa tombe, prit dans l'écurie° des parents de la jeune fille une jument° blanche, et monta dessus° pour aller la nuit chercher sa fiancée, qui était ser-
10 vante dans une ferme × à quelque distance de là.

Le mort° arriva à la porte de la maison et y frappa:

— Qui est là?

— C'est un jeune homme qui est venu chercher la fille d'ici de la part de° ses parents.

15 — Ah! dit la fille qui reconnut la voix, c'est mon bon ami, sans doute c'est maman qui l'envoie.

— Oui, répondit le mort, ce sera demain° nos fiançailles.×

Elle monta en croupe° derrière lui sur la jument, et ils partirent.

20 Pendant la route, le jeune homme lui disait:

— La lune° t'éclaire°; la mort t'accompagne; n'as-tu pas peur?

— Non, dit-elle, je n'ai pas peur avec toi.

garçon boy, young man	**mort** dead man
se faire la cour to court	**de la part de** on behalf of
fidèle faithful	**demain** tomorrow
marin sailor	**en croupe** on the rump
écurie stable	**lune** moon
jument mare	**éclairer** to light up
dessus on, upon	

Il se plaignit d'avoir mal à la tête.°

— Noue° ton mouchoir° autour de ton front,× lui dit-elle.

Il répondit qu'il n'en avait pas, et la jeune fille lui prêta° le sien qu'il s'attacha autour de la tête.

Ils arrivèrent à la porte de la maison de la jeune fille, elle 5 descendit de cheval° et frappa pour se faire ouvrir.

— Qui est là.

— C'est moi, votre fille, que vous avez envoyée chercher.

— Et par qui?

— Par mon futur époux.° Je suis montée en croupe der- 10 rière lui; pendant la route, il m'a dit qu'il n'avait pas de mouchoir de poche,° et je lui ai prêté le mien. Il est, j'en suis sûre, dans l'écurie à ôter° la bride× à notre jument blanche.

Ils allèrent dans l'écurie et ne trouvèrent point le fiancé; 15 mais la jument était baignée° de sueur.°

Quand la fille vit que son amant° était disparu, elle com- prit qu'il était mort, et elle mourut aussi elle.

On déterra° le corps de son fiancé pour les enterrer° en- semble, et il avait sur la tête le mouchoir blanc que lui avait 20 donné la jeune fille.

Conte de la Haute-Bretagne°

avoir mal à la tête to have a headache
nouer to tie
mouchoir handkerchief
prêter to lend
cheval horse
époux husband
poche pocket

ôter to take off
baigner to bathe
sueur sweat
amant lover
déterrer to dig up
enterrer to bury
Haute-Bretagne Upper Brittany

Du convoiteux° et de l'envieux°

Il y a un peu plus de cent ans que vivaient deux com-
pagnons, gens assez pervers. L'un était un convoiteux dont
rien ne pouvait satisfaire˟ les désirs, et l'autre un envieux
que désespérait˟ le bien d'autrui.˟ C'est un homme bien
5 haïssable° que l'envieux, puisqu'il déteste tout le monde;
mais l'autre est encore pire,° je crois, car c'est la convoitise°
et la rage˟ d'avoir qui fait prêter° à usure, qui pousse à
inventer des mesures fausses,° et qui rend injuste˟ et fripon.°
10   Nos deux gens donc, un jour d'été qu'ils voyageaient ensemble, rencontrèrent dans une plaine saint Martin. Le
saint, au premier coup d'œil,° connut leurs inclinations
vicieuses et la perversité de leur cœur. Néanmoins° il les
accompagna quelque temps sans se faire connaître. Mais,
15 arrivé à un endroit° où le chemin se partageait° en deux,
il leur annonça qu'il allait les quitter; puis se nommant° à
eux, il ajouta pour les éprouver°: «Je veux que vous puissiez
être contents de m'avoir rencontré. Que l'un de vous me demande un don,˟ je promets˟ de le lui accorder° à l'instant;
20 mais ce sera à condition que celui qui n'aura rien demandé
obtiendra° le double.»
    Le convoiteux, malgré toute l'envie qu'il avait de faire

convoiteux covetous man	coup d'œil glance
envieux envious man	néanmoins nevertheless
haïssable hatable, hateful	endroit spot
pire worse	se partager to divide
convoitise covetousness	nommer to name
prêter to lend	éprouver to test
faux (fausses) false	accorder to grant
fripon knavish	obtenir (obtiendra) to obtain

un souhait° magnifique,^x se promit bien cependant de se
taire, afin d'avoir encore deux fois davantage. Il excitait
son camarade à parler. «Allons, bel ami, demandez hardiment,^x puisque vous êtes sûr d'obtenir: il ne tient qu'à
vous° d'être riche pour la vie; voyons si vous saurez de- 5
mander.» L'autre qui serait mort de douleur° si celui-ci
eût quelque chose de plus que lui, se gardait bien de° faire
ce que lui suggérait^x son compagnon. Tous deux restèrent
ainsi longtemps sans vouloir se décider. Mais le premier,
que dévorait^x le désir d'avoir, ayant menacé^x son com- 10
pagnon de le battre s'il ne parlait pas: «Eh bien! oui, je vais
demander, répondit l'envieux en colère,° et loin d'y gagner,
tu t'en repentiras.»

Alors il demanda au saint de perdre un œil, afin que son
camarade perdît les deux. Sa prière^x fut exaucée° à l'in- 15
stant même, et tout ce qu'ils obtinrent de la bonne vo-
lonté° du saint, ce fut d'être l'un borgne° et l'autre
aveugle.°

C'est une justice que° le mal qui arrive aux méchants°;
et si quelqu'un était tenté° de plaindre° ceux-ci, je prie° 20
saint Martin de leur en envoyer autant.

---

souhait wish
il ne tient qu'à vous it lies within
  your hands
douleur grief
se garder bien de to take care not
  to
colère anger
exaucer to fulfill

volonté will
borgne one-eyed
aveugle blind
que *do not translate*
méchant wicked person
tenter to tempt
plaindre to pity
prier to pray

Du palefroi[×] gris°

Je vous dirai qu'en Champagne° jadis° fut un brave chevalier nommé° messire° Guillaume, riche en bonnes qualités, mais pauvre d'avoir. Obligé de subsister° par sa va-
leur,[×] il ne possédait[×] pour tout bien qu'une petite terre
5 valant au plus deux cents livres°: et c'était grand dom-
mage,° car il avait tout, courage, honneur, probité. Parais-
sait-il dans un tournoi°? il ne s'amusait pas à faire aux
dames de beaux saluts° ou des signes de galanterie; il
s'élançait,° tête baissée,° à l'endroit° où la foule° était la
10 plus forte, et ne se retirait que quand il avait terrassé° ou
vaincu° ses adversaires. Aussi était-il partout connu et con-
sidéré.

Dans le voisinage[×] de Guillaume, demeurait° un très
riche seigneur,° veuf° et père d'une fille belle comme le
15 jour, nommée Nina. Son château était, ainsi que celui du
chevalier, situé dans les bois (car la Champagne alors
avait beaucoup plus de forêts[×] encore qu'elle n'en a
aujourd'hui); et ils n'étaient distants l'un de l'autre que
d'une grosse lieue.°
20 Mais celui du vieillard,° bâti sur un monticule° fort

gris gray
Champagne *former province of
  eastern France*
jadis formerly
nommé named
messire Sir
subsister to assure his living
livre pound
c'était grand dommage it was a
  great pity
tournoi tournament
salut bow, greeting

s'élancer to hurl oneself
baisser to lower
endroit spot
foule crowd
terrasser to overthrow
vaincre to conquer
demeurer to live, dwell
seigneur lord
veuf widower
lieue league
vieillard old man
monticule little hill

escarpé,° se trouvait en outre° défendu par un fossé° profond et par une forte haie d'épines,° de sorte qu'on ne
pouvait y aborder° que par le pont-levis.° C'était là que
s'était retiré le vieux seigneur; il y vivait tranquillement
avec sa fille, faisant valoir sa terre qui lui rapportait° an- 5
nuellement mille bonnes livres de rente.°

Avec une pareille fortune, vous jugez× bien que la demoiselle,° belle et aimable× comme elle l'était, ne devait
pas manquer° de soupirants.° De ce nombre fut Guillaume; il mit tous ses soins à plaire à sa mie°; et bientôt 10
à force de° courtoisie× et de beaux faits d'armes il y par-
vint.° Mais quand le père vit les visites du chevalier devenir trop fréquentes, il défendit× à sa fille de lui parler
et le reçut lui-même avec une froideur° si marquée, que
le favori n'osa plus revenir.   15

Par là se trouva interrompue° toute communication entre les deux jeunes gens. L'âge ne permettait plus au père
de monter à cheval,° ni de sortir; ainsi n'était-il avec lui
aucun espoir° d'absence. Le vieux renard,° d'ailleurs, ayant
eu dans sa jeunesse× plusieurs aventures, avait appris par 20
son expérience à devenir défiant× et rusé.° Guillaume
aurait demandé seulement à voir sa mie; cette faible× consolation lui était interdite.°

escarpé steep	**mie** *archaic* sweetheart
en outre in addition	**à force de** by dint of
fossé ditch	**parvenir** to succeed
haie d'épines thorn hedge	**froideur** coldness
aborder to approach	**interrompre** to interrupt
pont-levis drawbridge	**cheval** horse
rapporter to bring in	**espoir** hope
rente income	**renard** fox
demoiselle young lady	**rusé** sly
manquer to lack, fail	**interdire** to forbid
soupirant suitor	

Un jour enfin qu'il cherchait et rôdait° autour des murs,° il aperçut une poterne˟ abandonnée, à travers laquelle il était possible de se parler. Il trouva moyen de le faire savoir à Nina qui ne manqua pas d'en profiter. Pour
5 lui, il pouvait venir en sûreté˟ au lieu du rendez-vous par de petits sentiers° détournés,° à travers la forêt, que lui seul connaissait. Ce dédommagement° léger° fit d'abord le bonheur° des deux amants°: ils en jouirent° pendant quelque temps avec transport; mais quoi! se parler sans se
10 voir, s'aimer tendrement et ne pouvoir se le prouver! pas un baiser°! toujours craindre d'être découverts et d'être séparés pour toujours! Guillaume ne put tenir à une pareille situation. Il résolut d'en sortir d'une manière ou d'une autre, et vint au château dans le dessein˟ de déclarer ses
15 intentions au père et d'en obtenir° une réponse décisive.

«Sire, lui dit-il, j'ai une grâce à vous demander, daignez m'écouter un instant; j'aime votre fille, Sire, et j'ose vous supplier° de m'accorder° sa main. Vous connaissez ma naissance° et mon nom, je crois avoir quelque droit à votre
20 estime et n'être point indigne˟ de Nina; j'attends votre réponse; mais cette réponse va me donner ou la vie ou la mort. — Je conçois° sans peine qu'on peut aimer ma fille, répondit le vieillard; elle est jeune, belle et sage°; sa naissance est distinguée; je n'ai qu'elle d'héritière°; et si elle

---

rôder to roam	**baiser** kiss
mur wall	**obtenir** to obtain
sentier path	**supplier** to beg
détourné out-of-the-way	**accorder** to grant
dédommagement compensation	**naissance** birth
léger light, slight	**concevoir** to conceive
bonheur happiness	**sage** wise, virtuous
amant lover	**héritière** heir
jouir to enjoy	

mérite toujours mon amitié,° un bien considérable l'attend. Avec ces avantages, je crois qu'il n'y a point de prince en France qui ne s'honorât de l'épouser.° Déjà plus d'un gentilhomme° puissant° est venu me solliciter à ce sujet; mais rien ne me presse, j'attendrai un parti° convenable,° ⁵ et je ne veux point surtout de ces chevaliers qui, comme leurs faucons,ˣ ne vivent que de proie.°»

Guillaume, confus, n'eut pas la force de répondre, il alla se cacher° dans la forêt, où il employa le reste du jour à se désoler, en attendant que la nuit lui permît de se rendre à ¹⁰ la poterne. Nina s'y rendit aussi de son côté; et ce fut alors qu'éclatèrent° des sanglots° douloureux.° «Recevez mon dernier adieu, s'écria° le chevalier! tout est fini, il n'est plus de bonheur pour moi dans cette contrée, et il faut que je la fuie,° puisque je ne puis devenir votre époux.° ¹⁵ Maudites° soient à jamais les richesses qui me font perdre tout ce que j'aime. — Hélas! je m'applaudissais de les posséder pour pouvoir vous les offrir, répondit la tendre Nina. Faut-il que le sort° me réduiseˣ à les maudire aussi! Mais, mon cher Guillaume, ne désespérons pas encore: il nous ²⁰ reste une ressource que depuis longtemps a prévue° ma tendresse°; vous avez près d'ici, à Médot, un vieil oncle ˣ de l'âge de mon père et son ami d'enfance ˣ; si vous lui êtes cher, comme je ne puis en douter, allez le trouver et

amitié friendship	**sanglot** sob
épouser to marry	**douloureux** sad, painful
gentilhomme gentleman	**s'écrier** to cry out
puissant powerful	**fuir** to flee
parti match	**époux** husband
convenable suitable	**maudire** to curse
proie prey	**sort** fate
cacher to hide	**prévoir** to foresee
éclater to burst forth	**tendresse** affection

lui confier[×] le secret de notre amour: sans doute il a aimé dans son jeune âge; il aura pitié de nous. Dites-lui qu'il peut faire mon bonheur et le vôtre; je ne lui demande pour cela qu'un service simulé°; c'est de vous céder,° pendant
5 quelques jours seulement, trois cents livres de rentes sur sa terre; qu'il vienne alors me demander pour vous à mon père: il m'obtiendra de son amitié, j'en suis sûre; et dès que nous serons unis,° nous lui remettrons en mains l'acte de son bienfait°! Ah! mon doux ami, ai-je besoin de ses
10 présents pour t'aimer! — J'allais mourir, s'écria Guillaume; vous me rendez la vie.»

Il courut aussitôt° chez l'oncle et le supplia de seconder son amour, sans lui avouer cependant qu'il était aimé de la demoiselle. «Votre choix ne mérite que des éloges,[×] ré-
15 pondit celui-ci; je connais beaucoup votre mie, elle est charmante, soyez tranquille, je me charge de l'obtenir de son père, et je vais de ce pas° la lui demander.» En effet, il monta aussitôt à cheval. Guillaume, transporté de joie, partit de son côté pour Galardon où était annoncé un tour-
20 noi qui devait durer deux jours. Pendant toute la route il ne s'occupa que du bonheur qu'il allait enfin goûter.° Hélas! il ne soupçonnait° guère qu'on songeait à le tra-hir.°

L'oncle fut reçu par le père à son ordinaire°; on se mit
25 à table, où tout en buvant° l'un à l'autre, les deux vieillards racontèrent° leurs antiques prouesses en amour et en che-

simulé feigned	**goûter** to taste, enjoy
céder to hand over to	**soupçonner** to suspect
uni united	**trahir** to betray
acte de son bienfait the beneficent deed (document)	**à son ordinaire** as usual
aussitôt immediately	**boire (buvant)** to drink
de ce pas straightway	**raconter** to relate

valerie. Mais quand on eut desservi° et que tout le monde se fut retiré: «Mon vieil ami, dit le seigneur de Médot, je suis garçon° et m'ennuie° de vivre seul; vous allez bientôt marier° votre fille et vous trouver de même.° Acceptez une proposition que j'ai à vous faire: accordez-moi Nina; 5 je lui abandonne tout mon bien, je viens demeurer avec vous et ne vous quitte plus jusqu'à la mort.» Cette proposition enchanta le père; après avoir embrassé son vieux gendre,° il fit venir sa fille, à laquelle il annonça l'arrangement funeste° qu'ils venaient de conclure ensemble. 10

Si la demoiselle fut consternée, je vous laisse à penser. Elle ne rentra dans sa chambre que pour se désoler, pour maudire mille fois la trahison° du perfide vieillard, pour appeler à son secours° le malheureux× Guillaume. Pendant ce temps, il travaillait à la mériter en se couvrant× 15 de gloire à Galardon, et il était bien loin d'imaginer que par une noirceur× abominable son oncle la lui enlevait° en le déshéritant. Le soir, elle courut à la poterne, car elle ignorait qu'il fût au tournoi; mais après avoir attendu longtemps sans le voir paraître, elle se crut abandonnée. 20

Le jour fatal venait d'être fixé par les vieillards au surlendemain.° Le futur× avait demandé que le mariage et la noce° se fissent en son château de Médot. En conséquence, il fut réglé° que, pour arriver de bonne heure, on partirait au point du jour°; et, en attendant, le gendre et 25

desservir to clear the table	**trahison** treachery
garçon boy, bachelor	**secours** help
s'ennuyer to be bored	**enlever** to take away
marier to give in marriage	**surlendemain** two days from then
de même in the same condition	**noce** wedding, wedding celebra-
(*i.e., bored from living alone*)	tion
gendre son-in-law	**régler** to rule, decide
funeste disastrous	**point du jour** daybreak

le beau-père° envoyèrent dans tout le voisinage inviter leurs amis, c'est-à-dire ceux des gens de leur âge qui vivaient encore. Le lendemain arrivèrent, les uns après les autres, ces barbons° au corps décrépit, au front ˣ ridé,° à la tête
5 chauve° et tremblante. Jamais ne se vit assemblée de noce plus burlesque. Vous eussiez cru qu'ils venaient tous, avant de partir pour l'autre monde, se dire le dernier adieu.

La journée ˣ fut employée à préparer les ajustements ˣ et la parure° de la triste mariée.° Elle étouffait° intérieure-
10 ment de douleur,° et se voyait obligée pourtant de dévorer ses larmes° et d'affecter un visage tranquille. Le père venait de temps en temps examiner si l'ouvrage avançait. Dans une de ces visites, quelqu'un lui demanda s'il avait songé à faire venir suffisamment° de chevaux pour con-
15 duire à Médot toutes les personnes qui devaient s'y rendre. «Les hommes ont les leurs sur lesquels ils sont venus, répondit-il. Ceux de mes écuries° serviront; mais, en tout cas, pour ne pas nous trouver embarrassés, il n'y a qu'à envoyer en chercher quelques-uns de plus chez mes voi-
20 sins.»

Et sur-le-champ° il dépêcha° un domestique° qu'il chargea de cette commission.

Celui-ci se rappela en route que Guillaume avait un cheval gris magnifique, et réputé le plus beau de toute la
25 province. Le balourd° crut que ce serait sans doute flatter

beau-père father-in-law	**larme** tear
barbon graybeard, dotard	**suffisamment** enough
ridé wrinkled	**écurie** stable
chauve bald	**sur-le-champ** immediately
parure adornment	**dépêcher** to dispatch
mariée bride	**domestique** servant
étouffer to choke, stifle	**balourd** numskull
douleur grief	

sa jeune maîtresse° que de lui procurer, pour une cérémonie aussi agréable, une pareille monture,° et il alla chez le chevalier l'emprunter.°

Guillaume, après avoir remporté° le prix du tournoi, avait passé chez son oncle pour chercher la réponse qu'il attendait; mais ne l'ayant pas trouvé et s'imaginant que le père apparemment faisait quelque difficulté, il était revenu chez lui, du reste si parfaitement° tranquille sur cette affaire, si plein de confiance × en la parole du négociateur, qu'en entrant il commanda qu'on fît venir un ménétrier° pour lui chanter° des chansons° d'amour. Il se flattait que son oncle se ferait un plaisir de venir lui annoncer lui-même la réussite° de son message, et, dans cet espoir, il avait sans cesse les yeux tournés vers la porte.

Tout à coup, il voit quelqu'un paraître: c'était le domestique qui, le saluant de la part de° son maître, lui demande au nom du vieillard, pour le lendemain, son beau palefroi gris. «Oh! de toute mon âme, répond Guillaume, et pour plus longtemps s'il le veut. Mais quel besoin a-t-il donc de mon palefroi? — Sire, c'est pour mener à Médot, Nina, notre demoiselle. — Sa fille! Eh! que va-t-elle faire à Médot? — Se marier.° Quoi! est-ce que vous ne savez pas que votre oncle l'a demandée à monseigneur, et qu'il l'épouse demain matin au point du jour?»

A ces paroles Guillaume reste pétrifié d'étonnement.° Il ne peut croire une trahison aussi noire et se la fait certifier une seconde fois. Malheureusement pour lui, les cou-

maîtresse mistress	**chanter** to sing
monture mount	**chanson** song
emprunter to borrow	**réussite** success
remporter to carry off	**de la part de** on behalf of
parfaitement perfectly	**se marier** to get married
ménétrier musician, minstrel	**étonnement** astonishment

pables° sont tels qu'il ne peut s'en venger.° Il se promène
pendant quelque temps en silence, les yeux baissés et l'air
furieux. Soudain, il s'arrête, appelle son écuyer,° fait seller°
le cheval gris, et le livre° au valet. «Elle le montera, se
5 dit-il à lui-même, et en le montant elle songera encore à
moi. Ne suis-je pas trop heureux de contribuer à ses plaisirs?
Mais non, c'est à tort que je l'accuse. On a forcé sa main,
elle n'en est que plus à plaindre°; moi, j'ai son cœur, et
tant que je vivrai, elle aura le mien.»

10　　Le chevalier alors appelle tous ses gens. Il leur distribue
le peu d'argent qu'il a, et leur permet de quitter son service
dès l'instant même. Ceux-ci éperdus° lui demandent en
quoi ils ont eu le malheur de lui déplaire.ˣ «Je n'ai qu'à
me louer° de vous tous, répond-il, et je voudrais qu'il me
15 fût permis de vous mieux récompenser; mais la vie me
devient insupportable, partez et laissez-moi mourir.»

Lès infortunés ˣ se jettent en larmes à ses genoux°; ils
le conjurent de vivre et le supplient d'agréer° qu'ils restent
auprès° de lui pour adoucir° ses maux. Il les quitte sans
20 leur répondre et va s'enfermer° dans sa chambre.

On dormait pendant ce temps au château du père. Pour
pouvoir partir de grand matin° on s'y était couché° de
bonne heure, et le guetteur° du donjon° avait ordre d'éveil-

coupable guilty	**agréer** to accept
venger to avenge	**auprès** near
écuyer groom	**adoucir** to solace
seller to saddle	**s'enfermer** to shut oneself up
livrer to hand over	**de grand matin** early in the morn-
plaindre to pity	ing
éperdu distracted	**se coucher** to go to bed
se louer de to be pleased with	**guetteur** watchman
genou knee	**donjon** keep

ler° tout le monde au son° du tocsin, dès que le jour com-
mencerait à paraître: Nina seule ne put reposer. L'instant
de son malheur approchait et elle n'y voyait plus de remède. Vingt fois dans la journée la pauvrette[×] avait cherché l'occasion de s'enfuir.° Elle l'aurait fait sans crainte° 5
si la chose avait été possible, mais elle avait trop d'yeux à
tromper,° et son unique consolation fut de passer la nuit
dans les larmes.

Vers minuit° la lune° se leva. Le guetteur, qui le soir
avait un peu bu et qui s'était endormi,° se réveillant tout 10
à coup et voyant une grande clarté,° crut qu'il était déjà
tard, et se hâta° bien vite de sonner° son tocsin. Aussitôt
tout le monde se leva, et les domestiques sellèrent les chevaux. Le palefroi gris, comme le plus beau, fut destiné pour
la demoiselle. A cette vue, elle ne put contenir° sa douleur 15
et fondit° en larmes. On n'y fit point attention, parce que
ces larmes furent attribuées au regret de quitter la maison
paternelle. Mais quand il fut question de monter le cheval, elle s'y refusa si opiniâtrement° qu'il fallut l'y placer
comme de force.   20

On partit: d'abord marchaient les domestiques, hommes
et femmes, puis les gens de la noce, puis la mariée qui, peu
empressée° d'arriver, s'était mise à la queue° de la troupe.
On l'avait confiée à un vieux chevalier, homme sage et

éveiller to wake up	**clarté** light
son sound	**se hâter** to make haste
s'enfuir to flee	**sonner** to sound
crainte fear	**contenir** to contain, restrain
tromper to deceive	**fondre** to melt
minuit midnight	**opiniâtrement** stubbornly
lune moon	**empressé** in a hurry
s'endormir to go to sleep	**queue** tail, end

renommé, lequel devait lui servir de parrain° pour la cérémonie, et celui-ci fermait la marche.

Il y avait pour arriver à Médot trois lieues à faire, toujours dans la forêt, et par un chemin de traverse° si étroit,°
5 que deux chevaux pouvait à peine y passer de front.° Il fallut donc aller à la file. Pendant la première demi-lieue on causa,° on s'égaya° un peu; mais nos barbons qui n'avaient pas dormi° suffisamment succombèrent bientôt au sommeil.° Vous auriez ri de voir leurs têtes chenues°
10 vaciller × à droite et à gauche ou tomber penchées° sur les cous° des chevaux.

La demoiselle suivait, trop occupée de sa douleur pour songer à eux. Pareille à ces condamnés° qu'on mène au supplice,° et qui, pour vivre quelques instants de plus, re-
15 tardent la marche autant qu'ils peuvent, elle ralentissait° le pas de son cheval. Mais on n'eut pas fait une lieue que, sans le vouloir, elle.se trouva ainsi séparée de la troupe. Son vieux conducteur° ne s'en aperçut pas davantage, parce qu'il sommeillait° comme les autres. Cependant ses
20 yeux s'entr'ouvraient° de temps en temps; mais comme il voyait toujours devant lui le palefroi gris, ils se refermaient × tout aussitôt: les chevaux, du reste,° n'avaient pas besoin de guides; dans un chemin pareil ils ne pouvaient s'égarer.°

parrain godfather, sponsor	**cou** neck
chemin de traverse crossroad	**condamné** condemned man
étroit narrow	**supplice** execution
de front side by side	**ralentir** to slow up
causer to chat	**conducteur** leader, guide
s'égayer to become lively	**sommeiller** to doze
dormir to sleep	**s'entr'ouvrir** to half open
sommeil sleep	**du reste** moreover
chenu hoary	**s'égarer** to wander, stray
pencher to lean	

Il y avait un endroit pourtant où la route se partageait°
en deux; l'une était la continuation de celle de Médot, et
l'autre un petit sentier qui conduisait chez Guillaume.
Tous les cavaliers de la troupe avaient suivi la première;
et le cheval du vieux parrain ne manqua pas de suivre la 5
trace des autres. Pour le palefroi gris, depuis le temps qu'il
conduisait son maître au rendez-vous de la poterne, il était
si fort accoutumé° au sentier, qu'il le prit comme d'habitude.

Il fallait, pour arriver chez Guillaume, passer à gué° 10
une petite rivière. Au bruit que fait le cheval en mettant
le pied dans l'eau,° Nina sort de sa triste rêverie; elle se
retourne pour appeler le parrain à son secours, et ne voit
personne; seule et abandonnée dans une forêt à pareille
heure, un premier mouvement d'effroi° la fait tressaillir°; 15
mais l'idée de pouvoir échapper × au malheur qui la menace
étouffe sa frayeur°; et elle pousse hardiment° son cheval
dans la rivière, prête à périr × s'il le faut, plutôt° que de se
soumettre × à ce mariage abhorré. Il n'y avait rien à craindre; le cheval, selon° sa coutume,° traverse de lui-même le 20
gué°; et bientôt il arrive chez son maître.

Le guetteur apercevant la demoiselle corna° aussitôt
pour avertir,° et vint lui demander ensuite à elle-même,
à travers la petite porte du pont-levis, ce qu'elle voulait.
«Ouvrez vite, cria la jeune fille, c'est une femme poursui- 25

se partager to divide	**hardiment** boldly
accoutumé accustomed	**plutôt** rather
passer à gué to ford	**selon** according to
eau water	**coutume** custom
effroi fright	**gué** ford
tressaillir to shudder	**corner** to blow a horn
frayeur fright	**avertir** to warn, notify

vie° par des voleurs° qui vous demande secours.» L'autre
regarde par le guichet° : il voit une jeune personne parfaitement belle et couverte d'un riche manteau° d'écarlate.× La parure, la beauté de la demoiselle, ce cheval gris
5 qu'elle monte et qui lui semble être le palefroi de Guillaume, l'étonnent au point qu'il croit que c'est quelque
fée° favorable que la compassion amène° auprès de son
bon maître pour le consoler. Il court aussitôt l'avertir.
Guillaume avait passé la nuit dans les larmes. Ses gens,
10 véritablement affligés× parce qu'ils l'aimaient, n'avaient
pas voulu se coucher plus que lui. De temps en temps ils
allaient sans bruit écouter à sa porte, dans l'espoir que peut-
être sa douleur ne continuerait pas; mais l'entendant toujours soupirer° et gémir,° ils revenaient pleurer ensemble.
15 Cependant, dès qu'il sut qu'une femme était à sa porte,
par courtoisie il alla au-devant d'elle et fit baisser le pont-
levis.

O joie inespérée° ! ô bonheur ! il voit sa mie. Elle s'élance
dans ses bras, en criant: «Sauvez×-moi»; et en même temps
20 elle le serrait° avec les siens de toutes ses forces, et regardait
derrière elle d'un air d'effroi, comme si réellement des ra-
visseurs× l'avaient poursuivie.

«Rassurez×-vous, s'écrie-t-il, rassurez-vous, je vous tiens
et il n'y a personne sur la terre qui puisse désormais° vous
25 arracher° à moi.» Alors il appelle ses gens, leur donne
différents ordres, et fait lever le pont-levis. Mais ce n'est
pas assez; pour être parfaitement heureux, il faut qu'il soit

poursuivre to pursue
voleur thief
guichet small window
manteau cloak
fée fairy
amener to bring

soupirer to sigh
gémir to groan
inespéré unhoped for
serrer to press, squeeze
désormais henceforth
arracher to snatch, tear

l'époux de Nina; il la conduit donc à sa chapelle, et, en-
voyant chercher son chapelain, lui ordonne de les marier
ensemble. Alors la joie rentra dans le château; maîtres
et domestiques, tous paraissaient également° enivrés° de
plaisir; et jamais à tant de chagrin° ne succédèrent aussi 5
promptement des transports de joie aussi vifs.°

Il n'en était pas ainsi à Médot. Tout le monde y était
arrivé excepté la demoiselle et son gardien. Mais on avait
beau se demander ce qu'ils étaient devenus, personne ne
pouvait l'apprendre. Enfin ce gardien parut, toujours dor- 10
mant sur son cheval; et il fut fort étonné, quand on le réveilla, de ne plus voir la mariée devant lui.

Comme on soupçonna qu'elle avait pu s'égarer dans la
forêt, plusieurs domestiques furent détachés pour aller la
chercher. Mais on sut bientôt à quoi s'en tenir° par l'arrivée 15
d'un écuyer qu'envoyait Guillaume, et qui vint annoncer
que la demoiselle était chez son maître et de la part du
chevalier invita le père et tous les gentilshommes de la
noce à se rendre chez lui. On y courut; Guillaume alla
au-devant eux, tenant par la main sa nouvelle épouse qu'il 20
leur présenta sous cette qualité.°

A ce mot d'abord s'éleva dans la troupe un grand murmure. Mais quand Guillaume eut prié° qu'on l'écoutât,
quand il eut conté° toute l'histoire de ses amours jusqu'à
l'aventure du palefroi, tout changea. Ces vieillards, blan- 25
chis° dans des principes d'honneur et de loyauté, té-
moignèrent° même leur indignation de ce qu'on les avait

également equally	**qualité** quality, title
enivrer to intoxicate	**prier** to pray, beg
chagrin sorrow	**conter** to tell, relate
vif keen, lively	**blanchi** whitened (*i.e.*, grown old)
à quoi s'en tenir what is (*or* was) what	**témoigner** to show evidence of

rendus complices° d'une perfidie; et ils se réunirent tous pour presser le père de ratifier l'union des deux jeunes gens.

Celui-ci ne put s'y refuser, et la noce se fit chez Guil-5 laume. L'oncle mourut dans l'année; le chevalier par cet événement × hérita° de Médot. Peu de temps après, son beau-père étant mort aussi, il se vit un des plus riches seigneurs de Champagne, et il vécut aussi heureux qu'il méritait de l'être.

Hugues Le Roi

La Barbe°-Bleue

10 Il était une fois° un homme qui avait de belles maisons à la ville et à la campagne, de la vaisselle° d'or° et d'argent, des meubles° en broderies° et des carrosses° tout dorés.° Mais, par malheur° cet homme avait la barbe bleue: cela le rendait si laid° et si terrible, qu'il n'était ni femme ni 15 fille qui ne s'enfuît° de devant lui.

Une de ses voisines, dame de qualité, avait deux filles parfaitement° belles. Il lui en demanda une en mariage, et lui laissa le choix × de celle qu'elle voudrait lui donner. Elles n'en voulaient point toutes deux, et se le renvoyaient

---

complice accomplice
hériter to inherit
barbe beard
il était une fois once there was
vaisselle table service
or gold
meubles furniture

en broderies with embroidered upholstery
carrosse carriage
doré gilded
par malheur unfortunately
laid ugly
s'enfuir to flee
parfaitement perfectly

l'une à l'autre,° ne pouvant se résoudre° à prendre un homme qui eût la barbe bleue. Ce qui les dégoûtait × encore, c'est qu'il avait déjà épousé° plusieurs femmes, et qu'on ne savait ce que ces femmes étaient devenues.

La Barbe-Bleue,° pour faire connaissance,° les mena, 5 avec leur mère et trois ou quatre de leurs meilleures amies et quelques jeunes gens du voisinage,× à une de ses maisons de campagne, où on demeura° huit jours entiers. Ce n'étaient que promenades, que parties de chasse × et de pêche,° que danses et festins,° que collations: on ne dor- 10 mait point et on passait toute la nuit à se faire des malices° les uns aux autres; enfin tout alla si bien que la cadette° commença à trouver que le maître du logis° n'avait plus la barbe si bleue, et que c'était un fort honnête × homme. Dès qu'on fut de retour° à la ville, le mariage se conclut.× 15

Au bout d'un mois, la Barbe-Bleue dit à sa femme qu'il était obligé de faire un voyage en province, de six semaines au moins, pour une affaire de conséquence°; qu'il la priait° de se bien divertir pendant son absence; qu'elle fît venir ses bonnes amies; qu'elle les menât à la campagne si elle 20 voulait; que partout elle fît bonne chère.× «Voilà, lui dit-il, les clefs° des deux grands garde-meubles°; voilà celles de

se le ... à l'autre each said the other could have him
se résoudre to resolve oneself, decide
épouser to marry
la Barbe-Bleue *since* barbe *is feminine, this name, though given to a man, is feminine gender*
connaissance acquaintance
demeurer to dwell, stay, remain
pêche fishing

festin feast
se faire des malices to play jokes on each other
cadette younger sister
logis house
être de retour to have returned
de conséquence of importance
prier to pray, beg
clef key
garde-meuble storeroom

la vaisselle d'or et d'argent, qui ne sert pas tous les jours;
voilà celles de mes coffres-forts° où est mon or et mon
argent; celles des cassettes° où sont mes pierreries,° et voilà
le passe-partout° de tous les appartements. Pour cette petite
5 clef-ci, c'est la clef du cabinet° au bout de la grande galerie
de l'appartement bas: ouvrez tout, allez partout; mais
pour ce petit cabinet, je vous défends × d'y entrer, et je
vous le défends de telle sorte que, s'il vous arrive de l'ouvrir,
il n'y a rien que vous ne deviez attendre de ma colère.°»

10 　　Elle promit × d'observer exactement tout ce qui lui venait
d'être ordonné,° et lui, après l'avoir embrassée, il monte
dans son carrosse, et part pour son voyage.

　　Les voisines et les bonnes amies n'attendirent pas qu'on
les envoyât chercher pour aller chez la jeune mariée,° tant
15 elles avaient d'impatience de voir toutes les richesses de sa
maison, n'ayant osé y venir pendant que le mari° y était, à
cause de sa barbe bleue, qui leur faisait peur. Les voilà aussi-
tôt° à parcourir° les chambres, les cabinets, les garde-robes,°
toutes plus belles et plus riches les unes que les autres. Elles
20 montèrent ensuite aux garde-meubles, où elles ne pouvaient
assez admirer le nombre et la beauté des tapisseries, des lits,°
des sophas, des cabinets, des guéridons,° des tables et des
miroirs où l'on se voyait depuis les pieds jusqu'à la tête,
et dont les bordures,° les unes de glace,° les autres d'argent

coffre-fort strongbox	**aussitôt** immediately
cassette casket	**parcourir** to run through, go
pierreries precious stones	through
passe-partout passkey	**garde-robe** wardrobe
cabinet closet	**lit** bed
colère anger, wrath	**guéridon** small round table
ordonner to order	**bordure** border, edge
mariée bride	**glace** glass
mari husband	

et de vermeil° doré, étaient les plus belles et les plus magnifiques qu'on eût jamais vues. Elles ne cessaient d'exagérer et d'envier le bonheur° de leur amie, qui, cependant ne se divertissait point à voir toutes ces richesses, à cause de l'impatience qu'elle avait d'aller ouvrir le cabinet de l'appartement bas.

Elle fut si pressée de sa curiosité, que, sans considérer qu'il était malhonnête° de quitter sa compagnie, elle y descendit par un petit escalier dérobé,° et avec tant de précipitation qu'elle pensa° se rompre° le cou° deux ou trois fois. Étant arrivée à la porte du cabinet, elle s'y arrêta quelque temps, songeant à la défense° que son mari lui avait faite, et considérant qu'il pourrait lui arriver malheur d'être désobéissante ˣ; mais la tentation était si forte, qu'elle ne put la surmonter: elle prit donc la petite clef, et ouvrit en tremblant la porte du cabinet.

D'abord elle ne vit rien, parce que les fenêtres étaient fermées. Après quelques moments, elle commença à voir que le plancher° était tout couvert ˣ de sang° caillé,° et que, dans ce sang, se miraient° les corps de plusieurs femmes mortes et attachées le long des° murs°: c'était toutes les femmes que la Barbe-Bleue avait épousées, et qu'il avait égorgées° l'une après l'autre. Elle pensa mourir de peur, et la clef du cabinet, qu'elle venait de retirer de la serrure,° lui tomba de la main.

vermeil silver-gilt	**plancher** floor
bonheur happiness	**sang** blood
malhonnête ill-bred	**caillé** clotted
escalier dérobé secret staircase	**se mirer** to be reflected or mirrored
penser to think; *also,* to come near	**le long de** along
rompre to break	**mur** wall
cou neck	**égorger** to cut the throat of
défense severe restriction	**serrure** lock

Après avoir un peu repris ses sens, elle ramassa° la clef, referma[×] la porte, et monta à sa chambre pour se remettre un peu; mais elle n'en pouvait venir à bout,° tant elle était émue.°

5 Ayant remarqué que la clef du cabinet était tachée° de sang, elle l'essuya° deux ou trois fois; mais le sang ne s'en allait point: elle eut beau la laver,° et même la frotter° avec du sablon° et avec du grès,° il demeura toujours du sang, car la clef était fée,° et il n'y avait pas moyen de la net-
10 toyer° tout à fait: quand on ôtait° le sang d'un côté, il revenait de l'autre.

La Barbe-Bleue revint de son voyage dès le soir même, et dit qu'il avait reçu des lettres, dans le chemin, qui lui avaient appris que l'affaire pour laquelle il était parti venait
15 d'être terminée à son avantage. Sa femme fit tout ce qu'elle put pour lui témoigner° qu'elle était ravie° de son prompt retour.[×]

Le lendemain,° il lui redemanda les clefs; et elle les lui donna, mais d'une main si tremblante, qu'il devina° sans
20 peine tout ce qui s'était passé. «D'où vient, lui dit-il, que la clef du cabinet n'est point avec les autres? — Il faut, dit-elle, que je l'aie laissée là-haut° sur ma table. — Ne manquez° pas, dit la Barbe-Bleue, de me la donner tantôt.°»

ramasser to pick up	**nettoyer** to clean
venir à bout to succeed	**ôter** to remove
ému moved, agitated	**témoigner** to give evidence
tacher to stain, spot	**ravi** delighted
essuyer to wipe	**lendemain** next day
laver to wash	**deviner** to guess
frotter to rub	**là-haut** upstairs
sablon scouring sand	**manquer** to fail
grès sandstone	**tantôt** presently
fée fairy, magic	

Après plusieurs remises,° il fallut apporter la clef. La Barbe-Bleue, l'ayant considérée, dit à sa femme: «Pourquoi y a-t-il du sang sur cette clef? — Je n'en sais rien, répondit la pauvre femme, plus pâle que la mort. — Vous n'en savez rien! reprit la Barbe-Bleue; je le sais bien, moi. Vous avez 5 voulu entrer dans le cabinet! Eh bien, madame, vous y entrerez et irez prendre votre place auprès° des dames que vous y avez vues.»

Elle se jeta aux pieds de son mari en pleurant, et en lui demandant pardon, avec toutes les marques d'un vrai re- 10 pentir,ˣ de n'avoir pas été obéissante. Elle aurait attendri° un rocher,ˣ belle et affligée ˣ comme elle était; mais la Barbe-Bleue avait le cœur plus dur° qu'un rocher. «Il faut mourir, madame, lui dit-il, et tout à l'heure. — Puisqu'il faut mourir, répondit-elle en le regardant les yeux baignés° de 15 larmes,° donnez-moi un peu de temps pour prier Dieu. — Je vous donne un demi quart d'heure, reprit la Barbe-Bleue; mais pas un moment davantage.»

Lorsqu'elle fut seule, elle appela sa sœur,° et lui dit: «Ma sœur Anne (car elle s'appelait ainsi), monte, je te 20 prie, sur le haut de la tour° pour voir si mes frères° ne viennent point: ils m'ont promis qu'ils me viendront voir aujourd'hui; et, si tu les vois, fais-leur signe de se hâter.ˣ» La sœur Anne monta sur le haut de la tour; et la pauvre affligée lui criait de temps en temps: «Anne, ma sœur 25 Anne, ne vois-tu rien venir?» Et la sœur Anne lui répon-

remise delay	**larme** tear
auprès beside	**sœur** sister
attendrir to soften	**tour** *f*. tower
dur hard	**frère** brother
baigner to bathe	

dait: «Je ne vois rien que le soleil qui poudroie,° et l'herbe°
qui verdoie.°»

Cependant la Barbe-Bleue, tenant un grand coutelas[×]
à sa main, criait de toute sa force à sa femme: «Descends
5 vite, ou je monterai là-haut. — Encore un moment, s'il
vous plaît,°» lui répondait sa femme; et aussitôt elle criait
tout bas: «Anne, ma sœur Anne, ne vois-tu rien venir?»
Et la sœur Anne répondait: «Je ne vois rien que le soleil
qui poudroie, et l'herbe qui verdoie.»

10 «Descends donc vite, criait la Barbe-Bleue, ou je monterai
là-haut. — Je m'en vais,» répondait la femme; et puis elle
criait: «Anne, ma sœur Anne, ne vois-tu rien venir? — Je
vois, répondit la sœur Anne, une grosse poussière° qui
vient de ce côté-ci ... — Sont-ce mes frères? — Hélas[×]!
15 non, ma sœur: c'est un troupeau° de moutons° ... — Ne
veux-tu pas descendre? criait la Barbe-Bleue. — Encore
un moment,» répondait sa femme; et puis elle criait:
«Anne, ma sœur Anne, ne vois-tu rien venir? — Je vois,
répondit-elle, deux cavaliers[×] qui viennent de ce côté-ci,
20 mais ils sont bien loin encore. — Dieu soit loué°! s'écria°-
t-elle un moment après, ce sont mes frères. Je leur fais
signe tant que je puis de se hâter.»

La Barbe-Bleue se mit à crier si fort que toute la maison
en trembla. La pauvre femme descendit, et alla se jeter à
25 ses pieds tout éplorée° et tout échevelée.° «Cela ne sert de

poudroyer to shimmer	**troupeau** flock
herbe grass	**mouton** sheep
verdoyer to be verdant, glimmer	**louer** to praise
green	**s'écrier** to cry out
s'il vous plaît if you please, please	**éploré** in tears
poussière dust, cloud of dust	**échevelé** disheveled

rien,° dit la Barbe-Bleue; il faut mourir.» Puis, la prenant
d'une main par les cheveux,° et de l'autre levant le coutelas
en l'air, il allait lui abattre° la tête. La pauvre femme, se
tournant vers lui, et le regardant avec des yeux mourants,
le pria de lui donner un petit moment pour se recueillir.° ₅
«Non, non, dit-il, recommande-toi bien à Dieu»; et, levant
son bras ... Dans ce moment, on heurta° si fort à la porte
que la Barbe-Bleue s'arrêta tout court.° On ouvrit, et aussitôt on vit entrer deux cavaliers, qui, mettant l'épée° à la
main, coururent droit à la Barbe-Bleue.   ₁₀

Il reconnut que c'était les frères de sa femme, l'un dragon ˣ et l'autre mousquetaire,ˣ de sorte qu°'il s'enfuit aussitôt pour se sauver ˣ; mais les deux frères le poursuivirent°
de si près° qu'ils l'attrapèrent° avant qu'il pût gagner le
perron.° Ils lui passèrent leur épée au travers du° corps, et ₁₅
le laissèrent mort. La pauvre femme était presque aussi
morte que son mari, et n'avait pas la force de se lever pour
embrasser ses frères.

Il se trouva que la Barbe-Bleue n'avait point d'héritiers,°
et qu'ainsi sa femme demeura maîtresse° de tous ses biens.° ₂₀
Elle en employa une partie à marier° sa sœur Anne avec
un jeune gentilhomme° dont elle était aimée depuis longtemps; une autre partie à acheter des charges° de capitaines

ne sert de rien is of no use	**attraper** to catch
cheveux hair	**perron** front steps
abattre to knock down, knock off	**au travers de** through
se recueillir to meditate	**héritier** heir
heurter to bump, knock	**maîtresse** mistress
court short	**biens** property
épée sword	**marier** to arrange a marriage
de sorte que and as a result	**gentilhomme** gentleman
poursuivre to pursue	**charge** commission
de si près so closely	

à ses deux frères, et le reste à se marier° elle-même à un fort honnête homme, qui lui fit oublier le mauvais temps qu'elle avait passé avec la Barbe-Bleue.

Contes de Perrault

se marier to get married

Quelques Pages d'autobiographie

JEAN-JACQUES ROUSSEAU

Jean-Jacques Rousseau (1712–1778) is known as an original political thinker, an ardent individualist and a precursor of Romanticism. Of his works, *Les Confessions* (written 1762–1767, published 1782–1788) is probably the most frequently read and the most enjoyed today. In *Les Confessions,* the sections dealing with the author's childhood and youth are the most agreeable. The passage given here tells of an episode which occurred in the summer of 1730.

Rousseau had run away from his birthplace, Protestant Geneva, at the age of sixteen (1728). He received shelter in the town of Annecy, in nearby Savoy, at the home of Madame de Warens, a young woman who interested herself in converting Protestants to Catholicism. Rousseau was sent to Turin, where he abjured Protestantism, was baptized, and served for several months as a valet. He fretted under the restraint, and, after losing his position, returned (1729) to Annecy, to the house of Madame de Warens, where he spent a happy year. It was near the end of this period that the idyll described here occurred.

It must be remembered that Rousseau wrote this passage more than thirty years after the events described took place, and that a man of fifty is likely to see such events in his past through a sentimental haze. It must also be remembered that Rousseau was dominated at the time he wrote by certain ideas, which appear in all of his work. In this short passage we find such characteristic ideas as the goodness and beauty of nature, and the innocence and happiness of man in a natural state, away from the shackles and the corrupting influences of civilization.

WORD RECOGNITION TABLE

1. *Cognates not easy to recognize*

bride bridle
compagne companion
précipitamment precipitately
recours recourse
régner to reign

renforcer to reinforce, strengthen
souper supper
vallon valley

2. *Apparent cognates with different meanings*
(The apparent cognate is given in parentheses, the real meaning afterward.)

bouquet (bouquet) bunch
galanterie (gallantry) gallant remark
insensiblement (insensibly) imperceptibly

plaisanterie (pleasantry) jest
volontiers (volunteer) willingly
volupté (voluptuousness) pleasure

3. *Derivatives*

se déplacer (dé dis + placer) to displace
ombrage (*from* ombre) shade
oubli (*from* oublier) oversight

rechercher (re again + chercher) to seek
sécher (*from* sec) to dry

L'Idylle des cerises°

L'aurore° un matin me parut si belle, que m'étant habillé
précipitamment × je me hâtai° de gagner la campagne
pour voir lever le soleil. Je goûtai° ce plaisir dans tout son
charme; c'était la semaine après la Saint-Jean.° La terre, 5
dans sa plus grande parure,° était couverte d'herbe° et de
fleurs; les rossignols,° presque à la fin de leur ramage,°
semblaient se plaire à le renforcer×; tous les oiseaux,°
faisant en concert leurs adieux au printemps,° chantaient
la naissance° d'un beau jour d'été,° d'un de ces beaux jours 10
qu'on ne voit plus à mon âge.

Je m'étais insensiblement × éloigné de la ville, la chaleur°
augmentait, et je me promenais sous les ombrages × dans
un vallon × le long d'un ruisseau.° J'entends derrière moi des
pas de chevaux et des voix de filles qui semblaient embar- 15
rassées, mais qui n'en riaient pas de moins bon cœur.° Je
me retourne; on m'appelle par mon nom; j'approche, je
trouve deux jeunes personnes de ma connaissance, mademoiselle de Graffenried et mademoiselle Galley, qui, n'étant
pas d'excellentes cavalières,° ne savaient comment forcer 20

cerise cherry	**ramage** song, singing
aurore dawn	**oiseau** bird
se hâter to hasten, hurry	**printemps** spring
goûter to taste, enjoy	**naissance** birth
la Saint-Jean Saint-John's Eve (*the*	**été** summer
evening of June 23)	**chaleur** heat
parure adornment	**ruisseau** stream
herbe grass	**de bon cœur** heartily
rossignol nightingale	**cavalière** horsewoman

39

leurs chevaux à passer le ruisseau. Mademoiselle de Graffenried était une jeune Bernoise° fort aimable, qui, par
quelque folie de son âge° ayant été jetée hors de son pays,
avait imité madame de Warens, chez qui je l'avais vue quel-
5 quefois; mais, n'ayant pas eu une pension comme elle, elle
avait été trop heureuse de s'attacher à mademoiselle Galley,
qui, l'ayant prise en amitié, avait engagé sa mère à la lui donner pour compagne˟ jusqu'à ce qu'on pût la placer de quelque façon. Mademoiselle Galley, d'un an plus jeune qu'elle,
10 était encore plus jolie; elle avait je ne sais quoi de plus
délicat, de plus fin. Elles me dirent qu'elles allaient à
Toune, vieux château appartenant à madame Galley; elles
implorèrent mon secours pour faire passer leurs chevaux,
n'en pouvant venir à bout° elles seules. Je voulus fouetter°
15 les chevaux; mais elles craignaient pour moi les ruades°
et pour elles les haut-le-corps.° J'eus recours˟ à un autre
expédient; je pris par la bride˟ le cheval de mademoiselle
Galley, puis le tirant après moi, je traversai le ruisseau,
ayant de l'eau jusqu'à mi-jambe,° et l'autre cheval suivit
20 sans difficulté. Cela fait, je voulus saluer ces demoiselles°
et m'en aller comme un benêt°; elles se dirent quelques
mots tout bas; et mademoiselle de Graffenried s'adressant
à moi: «Non pas, non pas, me dit-elle, on ne m'échappe
pas comme cela. Vous vous êtes mouillé° pour notre service,
25 et nous devons en conscience avoir soin de vous sécher˟:
il faut, s'il vous plaît, venir avec nous; nous vous arrêtons
prisonnier.» Le cœur me battait, je regardais mademoiselle

Bernoise woman of Berne (*Switz-*
　erland)
quelque ... âge some youthful folly
venir à bout to succeed
fouetter to whip
ruade kick (*of a horse*)

haut-le-corps start, bound
mi-jambe halfway up the leg
demoiselle young lady
benêt simpleton
mouiller to wet

Galley. «Oui, oui, ajouta-t-elle en riant de ma mine effa-
rée,° prisonnier de guerre; montez en croupe° derrière
elle; nous voulons vous dédommager.°» «Mais, mademoiselle, je n'ai point l'honneur d'être connu de madame
votre mère: que dira-t-elle en me voyant arriver?» «Sa 5
mère, reprit mademoiselle de Graffenried, n'est pas à
Toune, nous somme seules, nous revenons ce soir, et vous
reviendrez avec nous.»

L'effet de l'électricité n'est pas plus prompt que celui
que ces mots firent sur moi. En m'élançant sur le cheval de 10
mademoiselle de Graffenried, je tremblais de joie; et quand
il fallut l'embrasser pour me tenir, le cœur me battait si
fort qu'elle s'en aperçut: elle me dit que le sien lui battait
aussi, par la frayeur° de tomber; c'était presque, dans ma
posture, une invitation de vérifier la chose: je n'osai jamais; 15
et durant° le trajet° mes deux bras lui servirent de ceinture,° très serrée à la vérité, mais sans se déplacer˟ un moment. Telle femme qui lira ceci me souffleterait° volontiers,˟ et n'aurait pas tort.

La gaieté du voyage et le babil° de ces filles aiguisèrent° 20
tellement le mien,° que jusqu'au soir et tant que nous
fûmes ensemble, nous ne déparlâmes° pas un moment.
Elles m'avaient mis si bien à mon aise,° que ma langue
parlait autant que mes yeux, quoiqu'elle ne dît pas les
mêmes choses. Quelques instants seulement, quand je me 25
trouvais tête-à-tête avec l'une ou l'autre, l'entretien° s'em-

mine effarée startled air	**souffleter** to slap
en croupe on the rump	**babil** prattle
dédommager to compensate	**aiguiser** to stimulate
frayeur fright	**le mien** *refers to* **babil**
durant during	**déparler** to stop talking
trajet trip	**aise** ease
ceinture girdle	**entretien** conversation

barrassait un peu; mais l'absente revenait bien vite, et ne
nous laissait pas le temps d'éclaircir° cet embarras.

   Arrivés à Toune, et moi bien séché, nous déjeunâmes.°
Ensuite il fallut procéder à l'importante affaire de pré-
5 parer le dîner. Les deux demoiselles, tout en cuisinant,°
baisaient° de temps en temps les enfants de la grangère°;
et le pauvre marmiton° regardait faire en rongeant son
frein.° On avait envoyé des provisions de la ville, et il y
avait de quoi faire un très bon dîner, surtout en friandi-
10 ses°: mais malheureusement on avait oublié du vin. Cet
oubli ˟ n'était pas étonnant pour des filles qui n'en buvaient
guère; mais j'en fus fâché,° car j'avais un peu compté sur
ce secours pour m'enhardir.° Elles en furent fâchées aussi,
par la même raison peut-être, mais je n'en crois rien.
15 Leur gaieté vive et charmante était l'innocence même; et
d'ailleurs qu'eussent-elles fait de moi entre elles deux?
Elles envoyèrent chercher du vin partout aux environs: on
n'en trouva point, tant les paysans de ce canton sont sobres
et pauvres. Comme elles m'en marquaient leur chagrin,
20 je leur dis de n'en pas être si fort en peine,° et qu'elles
n'avaient pas besoin de vin pour m'enivrer.° Ce fut la seule
galanterie ˟ que j'osai leur dire de la journée; mais je crois
du reste que les friponnes° voyaient que cette galanterie
était une vérité.

25   Nous dînâmes dans la cuisine° de la grangère, les deux

éclaircir to reveal the cause of	**friandises** delicacies, candies and
déjeuner to breakfast	cakes
cuisiner to cook	**fâché** annoyed
baiser to kiss	**enhardir** to make bold
grangère farmer's wife	**être en peine** to be troubled
marmiton scullion	**enivrer** to intoxicate
ronger le frein to fret inwardly	**friponne** hussy, minx
	cuisine kitchen

amies assises sur des bancs° aux deux côtés de la longue
table, et leur hôte° entre elles deux sur une escabelle° à
trois pieds. Quel dîner! Quel souvenir plein de charmes!
Comment, pouvant à si peu de frais° goûter des plaisirs si
purs et si vrais, vouloir en rechercher ˟ d'autres? Jamais 5
souper° des petites maisons° de Paris n'approcha de ce
repas.

Après le dîner nous fîmes une économie: au lieu de
prendre le café° qui nous restait du déjeuner,° nous le
gardâmes pour le goûter° avec de la crème° et des gâteaux° 10
qu'elles avaient apportés; et pour tenir notre appetit en
haleine,° nous allâmes dans le verger° achever notre des-
sert avec des cerises. Je montai sur l'arbre, et je leur en jetai
des bouquets ˟ dont elles me rendaient les noyaux° à travers les branches. Une fois mademoiselle Galley, avançant 15
son tablier° et reculant la tête, se présentait si bien et je
visai° si juste, que je lui fis tomber un bouquet dans le
sein°; et de rire.° Je me disais en moi-même: Que mes
lèvres ne sont-elles des cerises! comme je les jetterais ainsi
de bon cœur!   20

La journée se passa de cette sorte à folâtrer° avec la plus
grande liberté, et toujours avec la plus grande décence. Pas

banc bench
hôte guest
escabelle stool
frais expense
souper supper
petites maisons little pleasure
    houses (*owned by noblemen
    and used for elegant debauch-
    ery*)
café coffee
déjeuner breakfast
goûter light afternoon meal

crème cream
gâteau cake
tenir en haleine to keep on the
    alert
verger orchard
noyau pit, stone
tablier apron
viser to aim
sein bosom
et de rire and we laughed
folâtrer to frolic

un seul mot équivoque, pas une seule plaisanterie[×] ha-
sardée: et cette décence, nous ne nous l'imposions point du
tout, elle venait toute seule, nous prenions le ton que nous
donnaient nos cœurs. Enfin ma modestie, d'autres diront
5 ma sottise,° fut telle, que la plus grande privauté° qui
m'échappa fut de baiser une seule fois la main de mademoiselle Galley. Il est vrai que la circonstance donnait du
prix à cette légère faveur. Nous étions seuls, je respirais°
avec embarras, elle avait les yeux baissés.° Ma bouche, au
10 lieu de trouver des paroles, s'avisa° de se coller° sur sa main,
qu'elle retira doucement après qu'elle fut baisée, en me
regardant d'un air qui n'était point irrité. Je ne sais ce que
j'aurais pu lui dire: son amie entra, et me parut laide° en
ce moment.
15 Enfin elles se souvinrent qu'il ne fallait pas attendre la
nuit pour rentrer en ville.[1] Il ne nous restait que le temps
qu'il fallait pour y arriver de jour, et nous nous hâtâmes
de partir en nous distribuant comme nous étions venus.
Si j'avais osé, j'aurais transposé cet ordre; car le regard de
20 mademoiselle Galley m'avait vivement ému° le cœur,
mais je n'osai rien dire, et ce n'était pas à elle de le pro-
poser. En marchant nous disions que la journée avait tort
de finir; mais, loin de nous plaindre qu'elle eût été courte,
nous trouvâmes que nous avions eu le secret de la faire
25 longue, par tous les amusements dont nous avions su la
remplir.
Je les quittai à peu près au même endroit où elles m'a-
vaient pris. Avec quel regret nous nous séparâmes! Avec

---

sottise stupidity
privauté liberty
respirer to breathe
baisser to lower

s'aviser to decide
coller to press upon, glue to
laid ugly
ému moved

quel plaisir nous projetâmes de nous revoir! Douze heures passées ensemble nous valaient des siècles de familiarité. Le doux souvenir de cette journée ne coûtait rien à ces aimables filles; la tendre union qui régnait ˣ entre nous trois valait des plaisirs plus vifs, et n'eût pu subsister° avec 5 eux: nous nous aimions sans mystère et sans honte,° et nous voulions nous aimer toujours ainsi. L'innocence des mœurs° a sa volupté,ˣ qui vaut bien l'autre, parce qu'elle n'a point d'intervalle et qu'elle agit continuellement. Pour moi, je sais que la mémoire d'un si beau jour me touche 10 plus, me charme plus, me revient plus au cœur que celle d'aucuns plaisirs que j'aie goûtés en ma vie. Je ne savais pas trop bien ce que je voulais à ces deux charmantes personnes, mais elles m'intéressaient beaucoup toutes deux. Je ne dis pas que si j'eusse été le maître de mes arrangements, mon 15 cœur se serait partagé°; j'y sentais un peu de préférence. J'aurais fait mon bonheur d'avoir pour maîtresse° mademoiselle de Graffenried; mais à choix, je crois que je l'aurais mieux aimée pour confidente. Quoi qu'il en soit,° il me semblait en les quittant que je ne pourrais plus vivre 20 sans l'une et sans l'autre. Qui m'eût dit que je ne les reverrais de ma vie, et que là finiraient nos éphémères amours?

Les Confessions

subsister to continue	maîtresse mistress
honte shame	quoi qu'il en soit whatever may be
mœurs ways, habits	the case
partager to share, divide	

CHATEAUBRIAND

François-Auguste-René de Chateaubriand (1768–1848), precursor of Romanticism and one of the great masters of French prose, made, when a young man (1791), a trip to the United States, which profoundly affected both his ideas and his style. The description of wild landscapes, the accounts of picturesque savage life which lend so much charm to *Atala* and to others of his writings and which had so much influence on Romantic writers, were based upon impressions received during this trip. Chateaubriand told the story of these travels on several occasions, the last of which was in *Mémoires d'Outre-tombe,* an autobiographical work written in the last thirty years of his life and published after his death. The passages giving the *Voyage aux États-Unis* were written about 1820, thirty years after the events related had taken place, and were revised later.

Chateaubriand had undertaken the trip with the rather vague idea of discovering a Northwest Passage. In crossing the Atlantic his ship stopped at the Azores and at the island of Miquelon, then entered Chesapeake Bay, where Chateaubriand landed in July 1791 and proceeded by way of Baltimore to Philadelphia. The passages given here tell of his visit to George Washington and his trip through New York and into the wilderness west of Albany. Several long digressions have been omitted. The remainder of the *Voyage aux États-Unis* tells of the continuation of the trip as far as Niagara Falls. From there on the story told by Chateaubriand (in the earlier versions as well as in the *Mémoires*) is confused and inconsistent. He probably reached the site of Chillicothe, Ohio. It is known that he finally re-embarked for France at Philadelphia in December 1791.

WORD RECOGNITION TABLE

1. *Cognates not easy to recognize*

   débarquer to disembark
   diviser to divide
   forêt forest
   gravure engraving, picture
   hôte host

   luxe luxury
   pèlerinage pilgrimage
   répliquer to reply
   rustre rustic (*noun*)

2. *Apparent cognates with different meanings*
   (The apparent cognate is given in parentheses, the real meaning afterward.)

   hangar (hangar) shed
   labourer (labor) to plow

   pension (pension) boarding-house
   sensible (sensible) perceptible

3. *Derivatives*

   attrister (a *verbal prefix* + **triste** sad) to sadden
   guerrier (**guerre** + *noun ending*) warrior

   légèreté (**léger** + *noun ending*) lightness, nimbleness
   rétablir (**re** + **établir**) to re-establish

Voyage aux États-Unis

En approchant de Philadelphie, nous rencontrâmes des paysans allant au marché,° des voitures publiques et des voitures particulières. Philadelphie me parut une belle ville, les rues larges, quelques-unes plantées, se coupant à
5 angle droit dans un ordre régulier du nord au sud et de l'est à l'ouest. La Delaware coule° parallèlement à la rue qui suit son bord occidental. Cette rivière serait considérable en Europe: on n'en parle pas en Amérique; ses rives° sont basses et peu pittoresques.

10 A l'époque de mon voyage (1791), Philadelphie ne s'étendait pas encore jusqu'à la Schuylkill; le terrain, en s'avançant vers cet affluent,° était divisé × par lots, sur lesquels on construisait° çà et là des maisons.

L'aspect de Philadelphie est monotone. En général, ce
15 qui manque aux cités protestantes des États-Unis, ce sont les grandes œuvres de l'architecture: la Réformation jeune d'âge, qui ne sacrifie point à l'imagination, a rarement élevé ces dômes, ces nefs° aériennes,° ces tours jumelles° dont l'antique religion catholique a couronné° l'Europe.
20 Aucun monument, à Philadelphie, à New-York, à Boston, une pyramide au-dessus de la masse des murs et des toits°: l'œil est attristé × de ce niveau.°

marché market	**aérien** airy
couler to flow	**jumeau** (jumelle) twin
rive bank, shore	**couronner** to crown
affluent tributary	**toit** roof
construire to build	**niveau** level
nef nave	

48

Descendu d'abord à l'auberge,° je pris ensuite un appartement dans une pension × où logeaient des colons° de Saint-Domingue,° et des Français émigrés avec d'autres idées que les miennes. Une terre de liberté offrait un asile à ceux qui fuyait la liberté: rien ne prouve mieux le haut 5 prix des institutions généreuses que cet exil volontaire des partisans du pouvoir absolu dans une pure démocratie.

Un homme, débarqué× comme moi aux États-Unis, plein d'enthousiasme pour les peuples classiques, un colon qui cherchait partout la rigidité des premières mœurs° ro- 10 maines, dut être fort scandalisé de trouver partout le luxe × des équipages, la frivolité des conversations, l'inégalité des fortunes, l'immoralité des maisons de banque et de jeu, le bruit des salles de bal et de spectacle.° A Philadelphie j'aurais pu me croire à Liverpool ou à Bristol. L'apparence du 15 peuple était agréable: les quakeresses avec leurs robes grises,° leurs petits chapeaux uniformes et leurs visages pâles, paraissaient belles.

A cette heure de ma vie, j'admirais beaucoup les républiques bien que je ne les crusse pas possibles à l'époque du 20 monde où nous étions parvenus: je connaissais la liberté à la manière des anciens, la liberté fille des mœurs dans une société naissante; mais j'ignorais la liberté fille des lumières° et d'une vieille civilisation, liberté dont la république représentative a prouvé la réalité: Dieu veuille qu'elle 25 soit durable! On n'est plus obligé de labourer × soi-même

auberge inn
colon colonist, planter
Saint-Domingue *the island of Haiti, then a French possession, where the black slaves revolted and overthrew their masters in 1791*

mœurs customs
salles ... spectacle ballrooms and theaters
gris gray
lumières enlightenment

son petit champ, de maugréer° les arts et les sciences, d'avoir les ongles crochus° et la barbe sale° pour être libre.

Lorsque j'arrivai à Philadelphie, le général Washington n'y était pas; je fus obligé de l'attendre une huitaine de
5 jours. Je le vis passer dans une voiture que tiraient quatre chevaux fringants,° conduits à grandes guides.° Washington, d'après mes idées d'alors, était nécessairement Cincinnatus; Cincinnatus en carrosse° dérangeait° un peu ma république de l'an de Rome 296. Le dictateur Wash-
10 ington pouvait-il être autre qu'un rustre,× piquant ses bœufs de l'aiguillon° et tenant le manche de sa charrue°? Mais quand j'allais lui porter ma lettre de recommandation, je retrouvai la simplicité du vieux Romain.

Une petite maison, ressemblant aux maisons voisines,
15 était le palais° du président des États-Unis: point de gardes, pas même de valets. Je frappai; une jeune servante ouvrit. Je lui demandai si le général était chez lui; elle me répondit qu'il y était. Je répliquai× que j'avais une lettre à lui remettre. La servante me demanda mon nom, difficile
20 à prononcer en anglais et qu'elle ne put retenir. Elle me dit alors doucement: «Walk in, sir; entrez, monsieur» et elle marcha devant moi dans un de ces étroits corridors qui servent de vestibule aux maisons anglaises: elle m'introduisit dans un parloir où elle me pria d'attendre le gé-
25 néral.

Je n'étais pas ému°: la grandeur de l'âme ou celle de la

maugréer to grumble against
ongles crochus clawlike fingernails
barbe sale unkempt beard
fringant prancing
à grandes guides in grand style
(*literally* with full reins)
carrosse carriage

déranger to disturb
piquant ... l'aiguillon driving his oxen with the goad
manche de sa charrue handle of his plow
palais palace
ému agitated

fortune ne m'imposent point; j'admire la première sans en être écrasé°; la seconde m'inspire plus de pitié que de respect: visage d'homme ne me troublera jamais.

Au bout de quelques minutes, le général entra; d'une grande taille, d'un air calme et froid plutôt que noble, il ⁵ est ressemblant dans ses gravures.ˣ Je lui présentai ma lettre en silence; il l'ouvrit, courut à la signature qu'il lut tout haut avec exclamation: «Le colonel Armand!» C'est ainsi qu'il l'appelait et qu'avait signé le marquis de la Rouërie.[1]

Nous nous assîmes. Je lui expliquai tant bien que mal° ¹⁰ le motif de mon voyage. Il me répondit par monosyllabes anglais et français, et m'écoutait avec une sorte d'étonnement°; je m'en aperçus, et je lui dis avec un peu de vivacité: «Mais il est moins difficile de découvrir le passage du nord-ouest que de créer un peuple comme vous l'avez fait. ¹⁵ — Well, well, young man! Bien, bien, jeune homme,» [2] s'écria-t-il en me tendant la main. Il m'invita à dîner pour le jour suivant, et nous nous quittâmes.

Je n'eus garde de° manquer au rendez-vous. Nous n'étions que cinq ou six convives.° La conversation roula sur ²⁰ la Révolution française. Le général nous montra une clef° de la Bastille.[3] Ces clefs, je l'ai déjà remarqué, étaient des jouets° assez niais° qu'on se distribuait alors. Si Washington avait vu dans les ruisseaux° de Paris les vainqueurs° de la Bastille, il aurait moins respecté sa relique.[4] ²⁵

Je quittai mon hôte ˣ à dix heures du soir, et ne l'ai ja-

écrasé crushed
tant bien que mal more or less successfully
étonnement astonishment
je n'eus garde de I took care not to
convive fellow guest

clef key
jouet toy
niais silly
ruisseau gutter
vainqueur conqueror

mais revu; il partit le lendemain, et je continuai mon voyage.

Telle fut ma rencontre avec le soldat citoyen,° libérateur d'un monde. Washington est descendu dans la tombe avant
5 qu'un peu de bruit se soit attaché à mes pas; j'ai passé devant lui comme l'être le plus inconnu; il était dans tout son éclat, moi dans toute mon obscurité; mon nom n'est peut-être pas demeuré un jour entier dans sa mémoire: heureux pourtant que ses regards soient tombés sur moi!
10 je m'en suis senti échauffé° le reste de ma vie: il y a une vertu dans les regards d'un grand homme.

Un stage-coach, semblable à celui qui m'avait amené de Baltimore, me conduisit de Philadelphie à New-York, ville gaie, peuplée, commerçante, qui cependant était loin d'être
15 ce qu'elle est aujourd'hui, moins de ce qu'elle sera dans quelques années; car les États-Unis croissent° plus vite que ce manuscrit. J'allai en pélerinage ˟ à Boston saluer le premier champ de bataille de la liberté américaine. J'ai vu les champs de Lexington; j'y cherchai, comme depuis à Sparte,
20 la tombe de ces guerriers ˟ qui moururent pour obéir aux saintes lois de la patrie. Mémorable exemple de l'enchaînement des choses humaines! un bill de finance,⁵ passé dans le Parlement d'Angleterre en 1765, élève un nouvel empire sur la terre en 1782, et fait disparaître du monde un des
25 plus antiques royaumes° de l'Europe en 1789!

Je m'embarquai à New-York sur un paquebot° qui faisait voile° pour Albany, situé en amont° de la rivière

citoyen citizen
échauffé warmed
croître (croissent) to grow
royaume kingdom

paquebot packet
faire voile to sail
en amont upstream

du Nord. La société était nombreuse. Vers le soir de la première journée, on nous servit une collation de fruits et de
lait° ; les femmes étaient assises sur les bancs° du tillac,° et
les hommes sur le pont,° à leurs pieds. La conversation ne se
soutint pas longtemps : à l'aspect d'un beau tableau de la 5
nature, on tombe involontairement dans le silence. Tout
à coup, je ne sais qui s'écria : «Voilà l'endroit où Asgill fut
arrêté.» [6] On pria une quakeresse de Philadelphie de chanter la complainte° connue sous le nom d'Asgill. Nous
étions entre des montagnes ; la voix de la passagère expi- 10
rait sur la vague,° ou se renflait° lorsque nous rasions de
plus près la rive.° La destinée d'un jeune soldat, amant,°
poète et brave, honoré de l'intérêt de Washington et de la
généreuse intervention d'une reine infortunée, ajoutait un
charme au romantique de la scène. Les officiers américains 15
semblaient touchés du chant de la Pennsylvanienne : le
souvenir des troubles passés de la patrie leur rendait plus
sensible [x] le calme du moment présent. Ils contemplaient
avec émotion ces lieux naguère° chargés de troupes, reten-
tissant° du bruit des armes, maintenant ensevelis° dans 20
une paix profonde ; ces lieux dorés° des derniers feux du
jour, animés du sifflement° des cardinaux, du roucoulement des palombes bleues,° du chant des oiseaux-
moqueurs,° et dont les habitants, accoudés sur des clôtures

lait milk
banc bench
tillac poop (*raised part of deck*)
pont deck
complainte lament, dirge
vague wave
se renfler to swell out
rasions ... la rive skirted closer to
   the shore

amant lover
naguère not long ago
retentir to resound
ensevelir to bury
doré gilded
sifflement whistling
roucoulement ... bleues cooing of
   the blue doves
oiseau-moqueur mocking bird

frangées de bignonias,° regardaient notre barque passer au-
dessous d'eux.[7]

Arrivé à Albany, j'allai chercher un M. Swift, pour lequel
on m'avait donné une lettre. M. Swift engagea à mon ser-
5 vice un Hollandais qui parlait plusieurs dialectes indiens.
J'achetai deux chevaux et je quittai Albany.

Tout le pays qui s'étend aujourd'hui entre le territoire
de cette ville et celui du Niagara est habité et défriché°;
le canal de New-York [8] le traverse; mais alors une grande
10 partie de ce pays était déserte.

Lorsque après avoir passé le Mohawk, j'entrai dans des
bois qui n'avaient jamais été abattus,° je fus pris d'une
sorte d'ivresse° d'indépendance: j'allais d'arbre en arbre, à
gauche, à droite, me disant: «Ici plus de chemins, plus de
15 villes, plus de monarchie, plus de république, plus de pré-
sidents, plus de rois, plus d'hommes.» Et, pour essayer si
j'étais rétabli ˣ dans mes droits originels, je me livrais à des
actes de volonté qui faisaient enrager mon guide, lequel,
dans son âme, me croyait fou.

20 Hélas! je me figurais être seul dans cette forêt ˣ où je
levais une tête si fière! tout à coup je vins m'énaser° contre un hangar.ˣ Sous ce hangar s'offrent à mes yeux ébau-
bis° les premiers sauvages que j'aie vus de ma vie. Ils
étaient une vingtaine, tant° hommes que° femmes, tous
25 barbouillés° comme des sorciers,° le corps demi-nu, les
oreilles découpés,° des plumes de corbeau° et des an-

accoudés ... bignonias leaning on fences fringed with trumpet flowers	**énaser** to bump one's nose
	ébaubi bewildered
défriché made suitable for cultivation	**tant ... que** both . . . and
	barbouillé painted
abattre to fell, cut down	**sorcier** magician
ivresse intoxication	**découpé** cut
	corbeau raven, crow

neaux° passés dans les narines.° Un petit Français, pou-
dré° et frisé,° habit° vert-pomme,° raclait° un violon de
poche,° et faisait danser Madelon Friquet [9] à ces Iroquois.
M. Violet (c'était son nom) était maître de danse chez les
sauvages. On lui payait ses leçons en peaux de castors° 5
et en jambons d'ours.° Il avait été marmiton° au service du
général Rochambeau, pendant la guerre d'Amérique. Demeuré à New-York après le départ de notre armée, il se
résolut d'enseigner° les beaux-arts aux Américains. Ses
vues s'étant agrandies avec le succès, le nouvel Orphée 10
porta la civilisation jusque chez les hordes sauvages du
Nouveau-Monde. En me parlant des Indiens, il me disait
toujours: «Ces messieurs sauvages et ces dames sauva-
gesses.» Il se louait° beaucoup de la légèreté ˟ de ses éco-
liers°; en effet je n'ai jamais vu faire de telles gambades.° 15
M. Violet, tenant son petit violon entre son menton° et sa
poitrine, accordait l'instrument fatal; il criait aux Iroquois: A vos places! Et toute la troupe sautait comme une
bande de démons.

N'était-ce pas une chose accablante° pour un disciple 20
de Rousseau que cette introduction à la vie sauvage par
un bal° que l'ancien marmiton du général Rochambeau
donnait à des Iroquois? J'avais grande envie de rire, mais
j'étais cruellement humilié.

Mémoires d'Outre-tombe

anneau ring
narine nostril
poudré powdered
frisé curled
habit coat
vert-pomme apple-green
racler to scrape
violon de poche small violin
peau de castor beaver skin

jambon d'ours bear ham
marmiton scullion
enseigner to teach
se louer to be pleased with
écolier pupil
gambade leap
menton chin
accablant crushing
bal ball, dance

GEORGE SAND

George Sand (pen name of Madame Aurore Dudevant, 1804–1876) is the most famous woman novelist of France. As the result of an unhappy marriage she declared her independence of society and her first novels were novels of protest and revolt. She is also known for her famous love affairs with the poet Musset and the composer Chopin. As she grew older, her work changed. Her writings became humanitarian and those most frequently read today are her idyllic novels of peasant life. Renan called her the æolian harp of the nineteenth century.

Even those critics who today pass severe judgments upon her fiction, will admit that she wrote agreeably and with charm and that she revealed in some of her works a pleasant and attractive personality. This is best exemplified in some parts of her autobiographical writings. The *Histoire de ma vie* was written 1854–1855, about the middle of her career and shortly after she had written her "pastoral" novels. The passages given here present a convincing and charming interpretation of the mind of a sensitive and imaginative child. The situations presented will be more easily understood if it is pointed out that her father was a young cavalry officer in the Napoleonic armies, and that in her early childhood here recounted she lived with her mother in Paris.

WORD RECOGNITION TABLE

1. *Cognates not easy to recognize*

alternativement alternately	**dégoûter** to cause to be disgusted
apparemment apparently	
bannir to banish	**dépossédé** dispossessed
chérir to cherish	**écarlate** scarlet

flamme flame
flotter to float
fraîchement freshly
ingénu ingenuous
marbre marble

modéré moderate
offrande offering
précieusement preciously
réellement really
trésor treasure

2. *Apparent cognates with different meanings*
(The apparent cognate is given in parentheses, the real meaning afterward.)

apparition (apparition) appearance
cabinet (cabinet) small room, closet
carton (carton, cartoon) cardboard
chagrin (chagrin) sorrow
enveloppe (envelope) wrapping
fantaisie (fantasy) strange notion

orbite (orbit) socket
pièce (piece) room
privé (privately) deprived
promener (promenade) to cause to run
propreté (property) neatness
signaler (signal) to call attention
volontiers (volunteer) willingly

3. *Derivatives*

don (donner to give) gift
enfance (enfant child) childhood
incertain (in un + certain) uncertain, vague
incroyable (in un + croyable credible) incredible
ressaisir (re again + saisir to seize) to seize upon

retrouver (re again + trouver) to find again
rougeâtre (rouge red + -âtre -ish) reddish
soigneusement (soin care + *adj. ending* + *adv. ending*) carefully
vivement (vif lively, keen + *adv. ending*) keenly

Premiers Souvenirs

Il faut croire que la vie est une bien bonne chose en elle-même, puisque les commencements en sont si doux, et l'enfance× un âge si heureux. Il n'est° pas un de nous qui ne se rappelle cet âge d'or comme un rêve évanoui,° auquel
5 rien ne saurait être comparé dans la suite.° Je dis un rêve, en pensant à ces premières années où nos souvenirs flottent× incertains× et ne ressaisissent× que quelques impressions isolées dans un vague ensemble. On ne saurait dire pourquoi un charme puissant s'attache pour chacun
10 de nous à ces éclairs° du souvenir insignifiants pour les autres.

Quoi qu'il en soit,° voici le premier souvenir de ma vie, et il date de loin. J'avais deux ans, une bonne° me laissa tomber de ses bras sur l'angle d'une cheminée, j'eus peur
15 et je fus blessé au front. Je vis nettement, je vois encore, le marbre× rougeâtre× de la cheminée, mon sang qui coulait,° la figure égarée° de ma bonne. Je me rappelle distinctement aussi la visite du médecin, les sangsues° qu'on me mit derrière l'oreille,° l'inquiétude de ma mère, et la
20 bonne congédiée° pour cause d'ivrognerie.° Nous quittâmes la maison, et je ne sais où elle était située; je n'y suis

il est there is
évanoui vanished
dans la suite later on
éclair flash
quoi qu'il en soit however that
   may be
bonne nursemaid

couler to flow
égaré distracted
sangsue leech
oreille ear
congédier to dismiss
ivrognerie drunkenness

jamais retournée depuis; mais si elle existe encore, il me semble que je m'y reconnaîtrais.

Il n'est donc pas étonnant que je me rappelle parfaitement l'appartement que nous occupions rue Grange-Batelière un an plus tard. De là datent mes souvenirs pré- 5 cis et presque sans interruption. Mais depuis l'accident de la cheminée jusqu'à l'âge de trois ans, je ne me retrace qu'une suite indéterminée d'heures passées dans mon petit lit sans dormir, et remplies de la contemplation de quelque pli° de rideau° ou de quelque fleur au papier des cham- 10 bres; je me souviens aussi que le vol° des mouches° et leur bourdonnement° m'occupaient et que je voyais souvent les objets doubles, circonstance qu'il m'est impossible d'expliquer, et que plusieurs personnes m'ont dit d'avoir éprouvée aussi dans la première enfance. C'est surtout la 15 flamme˟ des bougies° qui prenait cet aspect devant mes yeux, et je me rendais compte de l'illusion sans pouvoir m'y soustraire.° Il me semble même que cette illusion était un des pâles amusements de ma captivité dans le berceau° et cette vie du berceau m'apparaît extraordinaire- 20 ment longue et plongée dans un mol° ennui.°

Ma mère s'occupa de fort bonne heure de me développer, et mon cerveau° ne fit aucune résistance, mais il ne devança rien°; il aurait pu être très tardif° si on l'avait laissé tranquille. Je marchais à dix mois, je parlai assez 25 tard, mais une fois que j'eus commencé à dire quelques

pli fold	**berceau** cradle
rideau curtain	**mol** (*from* **mou**) soft
vol flight	**ennui** boredom
mouche fly	**cerveau** brain
bourdonnement buzzing	**ne devança rien** took no initiative
bougie candle	**tardif** backward
se soustraire to escape	

mots, j'appris tous les mots très vite, et à quatre ans je savais très bien lire, ainsi que ma cousine Clotilde, qui fut enseignée° comme moi par nos deux mères alternative-ment.[×]

5 Il est bon d'habituer° l'enfance d'aussi bonne heure que possible à un exercice modéré[×] mais quotidien° des diverses facultés de l'esprit. Mais on se hâte° trop de lui servir des choses exquises.° Il n'existe point de littérature à l'usage des petits enfants. Tous les jolis vers° qu'on a 10 faits en leur honneur sont maniérés° et farcis° de mots qui ne sont point de leur vocabulaire. Il n'y a guère que les chansons des berceuses° qui parlent réellement[×] à leur imagination. Les premiers vers que j'ai entendus sont ceux-ci, que tout le monde connaît sans doute, et que ma 15 mère me chantait de la voix la plus fraîche et la plus douce qui puisse s'entendre:

> Allons dans la grange°
> Voir la poule° blanche
> Qui pond° un bel œuf° d'argent
20 Pour ce cher petit enfant.

La rime n'est pas riche,[1] mais je n'y tenais guère, et j'étais vivement[×] impressionnée par cette poule blanche et par cet œuf d'argent qu'on me promettait tous les soirs, et que je ne songeais jamais à demander le lendemain ma-25 tin.

enseigner to teach	**farci** stuffed
habituer to accustom	**chansons des berceuses** cradlesongs
quotidien daily	**grange** barn
se hâter to hurry	**poule** hen
exquis fancy	**pondre** to lay
vers verses	**œuf** egg
maniéré artificial	

Ma mère me chantait aussi une chanson de ce genre la veille de Noël; mais comme cela ne revenait qu'une fois l'an, je ne me la rappelle pas. Ce que je n'ai pas oublié c'est la croyance° absolue que j'avais à la descente par le tuyau de la cheminée° du petit père Noël,° bon vieillard° à barbe° blanche, qui, à l'heure de minuit, devait venir déposer dans mon petit soulier° un cadeau° que j'y trouvais à mon réveil.° Minuit! cette heure fantastique que les enfants ne connaissent pas et qu'on leur montre comme le terme° impossible de leur veillée°! Quels efforts incroyables [×] je faisais pour ne pas m'endormir° avant l'apparition [×] du petit vieux! J'avais à la fois grande envie et grand'peur de le voir; mais jamais je ne pouvais me tenir éveillée° jusque-là, et le lendemain, mon premier regard était pour mon soulier, au bord de l'âtre.° Quelle émotion me causait l'enveloppe [×] de papier blanc, car le père Noël était d'une propreté [×] extrême, et ne manquait jamais d'empaqueter° soigneusement [×] son offrande.[×] Je courais pieds nus° m'emparer de mon trésor.[×] Ce n'était jamais un don [×] bien magnifique, car nous n'étions pas riches. C'était un petit gâteau,° une orange, ou tout simplement une belle pomme° rouge. Mais cela me semblait si précieux que j'osais à peine le manger. L'imagination jouait encore là son rôle, et c'est toute la vie de l'enfant.

croyance belief	**veillée** vigil
tuyau de la cheminée chimney	**s'endormir** to go to sleep
père Noël Santa Claus	**éveillé** awake
vieillard old man	**âtre** hearth
barbe beard	**empaqueter** to wrap up
soulier shoe	**nu** bare
cadeau present	**gâteau** cake
réveil awakening	**pomme** apple
terme terminus	

Ni Clotilde ni moi n'avons gardé aucun souvenir du plus ou moins de peine que nous eûmes pour apprendre à lire. Nos mères nous ont dit depuis qu'elles en avaient eu fort peu à nous enseigner, seulement elles signalaient˟ un
5 fait d'entêtement° fort ingénu˟ de ma part. Un jour que je n'étais pas disposé à recevoir ma leçon d'alphabet, j'avais répondu à ma mère: — «Je sais bien dire A, mais je ne sais pas dire B.» Il paraît que ma résistance dura° fort longtemps; je nommais toutes les lettres excepté la seconde, et
10 quand on me demandait pourquoi je la passais sous silence,° je répondais imperturbablement: «C'est que je ne connais pas le B.»

Le second souvenir que je me retrace de moi-même, et qu'à coup sûr,° vu° son peu d'importance, personne n'au-
15 rait songé à me rappeler, c'est la robe et le voile° blanc que porta la fille aînée° du vitrier° le jour de sa première communion. J'avais alors environ trois ans et demi; nous étions dans la rue Grange-Batelière, au troisième,° et le vitrier, qui occupait une boutique° en bas, avait plusieurs
20 filles qui venait jouer avec ma sœur et avec moi. Je ne sais plus leurs noms et ne me rappelle spécialement que l'aînée, dont l'habit° blanc me parut la plus belle chose du monde. Je ne pouvais me lasser° de l'admirer, et ma mère ayant dit tout d'un coup que son blanc était tout jaune° et qu'elle
25 était fort mal arrangée, cela me fit une peine étrange. Il

entêtement obstinacy
durer to last
passer sous silence to omit
à coup sûr surely
vu on account of
voile veil
aîné eldest

vitrier glazier
au troisième on the fourth floor
boutique shop
habit dress
lasser to tire
jaune yellow

me semble qu'on me causait un vif chagrin[×] on me dé-
goûtant[×] de l'objet de mon admiration.

Je me souviens qu'une autre fois, comme nous dansions
une ronde,° cette même enfant chanta:

> Nous n'irons plus au bois,
> Les lauriers° sont coupés.[2]

Je n'avais jamais été dans les bois, que je sache, et peut-
être n'avais-je jamais vu de lauriers. Mais apparemment[×]
je savais ce que c'était, car ces deux petits vers me firent
beaucoup rêver. Je me retirai de la danse pour y penser,
et je tombai dans une grande mélancolie. Je ne voulus
faire part à° personne de ma préoccupation, mais j'aurais
volontiers[×] pleuré, tant je me sentais triste et privée[×] de
ce charmant bois de lauriers où je n'étais jamais entrée en
rêve que pour en être aussitôt dépossédée.[×] Explique qui
pourra° les singularités de l'enfance, mais celle-là fut si
marquée chez moi, que je n'en ai jamais perdu l'impression mystérieuse. Toutes les fois qu'on me chanta cette
ronde, je sentis la même tristesse° me gagner, et je ne l'ai
jamais entendu chanter depuis sans me retrouver[×] dans la
même disposition de regret et de mélancolie. Je vois toujours ce bois avant qu'on y eût porté la cognée,° et, dans la
réalité, je n'en ai jamais vu d'aussi beau; je le vois jonché°
de ses lauriers fraîchement[×] coupés et il me semble que
j'en veux toujours aux Vandales qui m'en ont banni[×] pour

ronde round
laurier laurel
faire part à to inform
explique qui pourra let him who
  wishes explain

tristesse sadness
cognée axe
jonché strewn

jamais. Quelle était donc l'idée du poète naïf qui commençait ainsi la plus naïve des danses?

Je me rappelle aussi la jolie ronde de Giroflée, girofla,[3] que tous les enfants connaissent, et où il est question encore d'un
5 bois mystérieux où l'on va seulette,° et où l'on rencontre le roi, la reine, le diable° et l'amour, êtres également fantastiques pour les enfants. Je ne me souviens pas d'avoir eu peur du diable. Je pense que je n'y croyais pas et qu'on m'empêchait d'y croire, car j'avais l'imagination très im-
10 pressionnable et je m'effrayais facilement.

On me fit présent, une fois, d'un superbe polichinelle,° tout brillant d'or et d'écarlate.× J'en eus peur d'abord, surtout à cause de ma poupée,° que je chérissais× tendrement et que je me figurais en grand danger auprès de ce petit
15 monstre. Je la serrai précieusement× dans l'armoire,° et je consentis à jouer avec polichinelle; ses yeux d'émail° qui tournaient dans leurs orbites× au moyen d'un ressort, le plaçaient pour moi dans une sorte de milieu entre le carton× et la vie. Au moment de me coucher, on voulut
20 le serrer dans l'armoire auprès de la poupée, mais je ne voulus jamais y consentir, et on céda° à ma fantaisie,× qui était de le laisser dormir sur le poêle°: car il y avait un petit poêle dans notre chambre, qui était plus que modeste, et dont je vois encore les panneaux peints° et la forme en
25 carré long.° Un détail que je me rappelle aussi, bien que depuis l'âge de quatre ans je ne sois jamais rentrée dans

seulette alone (*fem. diminutive*)	**émail** enamel
diable devil	**céder** to yield
polichinelle doll representing	**poêle** small stove
Punch	**panneaux peints** painted panels
poupée doll	**carré long** rectangle
armoire cupboard	

cet appartement, c'est que l'alcôve était un cabinet[×] fermé
par des portes à grillage° de laiton° sur un fond de toile°
verte. Sauf une antichambre qui servait de salle à manger°
et une petite cuisine,° il n'y avait pas d'autres pièces[×] que
cette chambre à coucher,° qui servait de salon pendant 5
le jour. Mon petit lit était placé le soir en dehors de° l'alcôve, et quand ma sœur, qui était alors en pension,° couchait à la maison, on lui arrangeait un canapé° à côté de
moi. C'était un canapé vert en velours° d'Utrecht. Tout
cela m'est encore présent, quoiqu'il ne me soit rien arrivé 10
de remarquable dans cet appartement: mais il faut croire
que mon esprit s'y ouvrait à un travail soutenu sur lui-
même, car il me semble que tous ces objets sont remplis
de mes rêveries, et que je les ai usés° à force de° les voir.
J'avais un amusement particulier avant de m'endormir, 15
c'était de promener[×] mes doigts sur le réseau° de laiton
de la porte de l'alcôve qui se trouvait à côté de mon lit.
Le petit son° que j'en tirais me paraissait une musique
céleste, et j'entendais ma mère dire: «Voilà Aurore qui
joue du grillage.» [4]   20

Je reviens à mon polichinelle qui reposait sur le poêle,
étendu sur le dos et regardant le plafond° avec ses yeux
vitreux° et son méchant° rire. Je ne le voyais plus, mais,
dans mon imagination, je le voyais encore, et je m'endor-

---

grillage grille, grillwork
laiton brass
toile canvas
salle à manger dining room
cuisine kitchen
chambre à coucher bedroom
en dehors de outside of
en pension at boarding school
canapé couch

velours velvet
user to wear out
à force de by dint of
réseau network
son sound
plafond ceiling
vitreux glassy
méchant bad, evil

mis très préoccupée du genre d'existence de ce vilain° être
qui riait toujours et qui pouvait me suivre des yeux dans
tous les coins de la chambre. La nuit, je fis un rêve épou-
vantable°: polichinelle s'était levé, sa bosse de devant°
5 avait pris feu sur le poêle, et il courait partout, poursuivant
tantôt° moi, tantôt° ma poupée, qui fuyait° éperdue,°
tandis qu'il nous atteignait par de longs jets de flamme. Je
réveillai° ma mère par mes cris. Ma sœur, qui dormait
près de moi, s'avisa° de ce qui me tourmentait et porta le
10 polichinelle dans la cuisine en disant que c'était une vi-
laine poupée pour un enfant de mon âge. Je ne le revis
plus. Mais l'impression imaginaire que j'avais reçue de la
brûlure° me resta pendant quelque temps, et, au lieu de
jouer avec le feu comme jusque là j'en avais eu la passion,
15 la seule vue du feu me laissa une grande terreur.

Histoire de ma vie

vilain ugly, nasty	**éperdu** wild with terror
épouvantable frightful	**réveiller** to wake up
bosse de devant the front hump	**s'aviser** to take note of
tantôt ... tantôt now . . . now	**brûlure** burn
fuir to flee	

ANATOLE FRANCE

Anatole France (1844–1924), who is particularly known for satirical novels and tales which are a blend of irony and erudition, skepticism and dilettantism, tried his hand at autobiography from time to time. *Le Livre de mon ami* (1885), *Pierre Nozière* (1899), *Le petit Pierre* (1918) and *La Vie en fleur* (1922), the four volumes of this type that he produced, might more accurately be called semiautobiography. They tell, in the first person, of the childhood of a certain "Pierre Nozière." Now Pierre Nozière is partly Anatole France, but not wholly Anatole France. His character is undoubtedly based upon that of his author when a child, but it is generalized and romanticized. Pierre Nozière is sometimes a real child, sometimes a sentimental, middle-aged man's dream of a child. And his experiences are probably in many cases imaginary. *Le Livre de mon ami,* from which this selection is taken, presents a sentimentalized and ironic, but nonetheless fairly true and quite charming picture of the life of a schoolboy in mid-nineteenth-century Paris. *La Casquette de Fontanet* is a typical chapter, with a characteristic blend of skepticism, sentiment and shrewd analysis of a boy's mind.

WORD RECOGNITION TABLE

1. *Cognates not easy to recognize*

choix choice	**interne** internal
confesse confession	**passé** past
se décharger to discharge	**plonger** to plunge
étrangeté strangeness	**repas** repast, meal
honnête honest, decent	**saison** season

2. *Apparent cognates with different meanings*
   (The apparent cognate is given in parentheses, the real meaning afterward.)

bassin (basin) pool

cave (cave) cellar

désagrément (disagreement), trouble

grief (grief) complaint

office (office) service (religious)

pension (pension) private school

propre (proper) clean

sable (sable) sand

3. *Derivatives formed with a prefix*

reparaître (re again + paraître) to appear again, reappear

revoir (re again + voir) to see again

4. *Derivative formed with a suffix*

égalité (égal + ité) equality

La Casquette° de Fontanet

Chaque samedi, on nous menait à confesse.ˣ Si quelqu'un
peut me dire pourquoi, il me fera plaisir. Cette pratique°
m'inspirait beaucoup de respect et d'ennui.° Je ne crois pas
que M. l'aumônier° prît un véritable intérêt à entendre
mes péchés°; mais il m'était certainement désagréable de 5
les lui dire. La première difficulté était de les trouver. Vous
me croirez peut-être si je vous déclare qu'à dix ans je ne
possédais pas les qualités psychiques et les méthodes d'ana-
lyse qui m'eussent permis d'explorer rationellement ma
conscience interne.ˣ   10

Pourtant, il fallait avoir des péchés; car point de péchés,
point de confession. On m'avait donné, il est vrai, un petit
livre qui les contenait tous. Je n'avais qu'à choisir. Mais le
choix ˣ même était difficile. Il y en avait là tant et de si
obscurs sur le larcin,° la simonie,° la prévarication, la for- 15
nication et la concupiscence°! Je trouvais dans ce petit
livre: «Je m'accuse d'avoir désespéré.° — Je m'accuse d'a-
voir entendu de mauvaises conversations.» Cela encore ne
laissait pas de° m'embarrasser beaucoup.

C'est pourquoi je m'en tenais d'ordinaire au chapitre 20
des distractions.° Distractions° à l'office,ˣ distractions pen-

casquette cap
pratique practice
ennui boredom
aumônier chaplain
péché sin
larcin larceny
simonie simony (*the crime of buying or selling church offices*)

concupiscence lust
désespérer to yield to despair
ne laissait pas de did not fail to
je m'en ... distractions I usually
fell back on inattentiveness
distraction inattentiveness

dant les repas,× distractions dans les «assemblées,» j'avouais tout, et le vide° déplorable de ma conscience m'inspirait une grande honte.°

J'étais humilié de n'avoir pas de péchés.

5 Un jour enfin, je songeai à la casquette de Fontanet; je tenais mon péché; j'étais sauvé!

A compter de ce jour, je me déchargeai× chaque samedi, aux pieds de M. l'aumônier, du poids° de la casquette de Fontanet.

10 Par la façon dont j'endommageais° en elle le bien du prochain,° cette casquette m'inspirait, chaque samedi, pendant quelques minutes, de vives inquiétudes sur le salut° de mon âme. Je la remplissais de sable×; je la jetais dans les arbres, d'où il fallait l'abattre° à coups de pierres comme 15 un fruit avant sa maturité; j'en faisais un chiffon° pour effacer les figures à la craie° sur le tableau noir°; je la jetais par un soupirail° dans des caves× inaccessibles, et, lorsqu'au sortir de la classe l'ingénieux Fontanet parvenait à la retrouver, ce n'était plus qu'un lambeau° sordide.

20 Mais une fée° veillait° sur sa destinée, car elle reparaissait× le lendemain matin sur la tête de Fontanet avec l'aspect imprévu° d'une casquette propre,× honnête,× presque élégante. Et cela tous les jours. Cette fée était la sœur aînée° de Fontanet. A ce seul trait, on peut l'estimer bonne 25 ménagère.°

vide emptiness	**craie** chalk
honte shame	**tableau noir** blackboard
poids weight	**soupirail** cellar window
endommager to damage	**lambeau** tatter
le bien du prochain my neighbor's goods	**fée** fairy
salut salvation	**veiller** to watch over
abattre to knock down	**imprévu** unexpected
chiffon rag	**aînée** older
	ménagère housekeeper

Plus d'une fois, tandis que je m'agenouillais° au pied du sacré tribunal, la casquette de Fontanet plongeait,ˣ de mon fait,° au fond du bassin ˣ de la cour d'honneur.° Il y avait alors dans ma situation quelque chose de délicat.

Et quel sentiment m'animait contre cette casquette? La ₅ vengeance.

Fontanet me persécutait, à cause d'une gibecière° de forme antique et bizarre que mon oncle, homme économe, m'avait donnée pour mon malheur. Elle était beaucoup trop grande pour moi et j'étais beaucoup trop petit pour ₁₀ elle. De plus, cette gibecière ne ressemblait pas à une gibecière, par la raison que ce n'en était pas une. C'était un vieux portefeuille,° qui se tirait comme un accordéon, et auquel le cordonnier° de mon oncle avait mis une cour-roie.° ₁₅

Ce portefeuille m'était odieux, non sans raison. Mais je ne crois pas aujourd'hui qu'il fût assez laid° pour mériter les indignités qu'on lui fit. Je soupçonne° aujourd'hui ce portefeuille d'avoir été, à l'origine, le portefeuille d'un ministre de Louis XVI.[1] ₂₀

Mais Fontanet, qui ne le considérait point dans son passé,ˣ ne pouvait me le voir au dos sans y jeter des boules de neige° ou des marrons d'Inde,° selon la saison,ˣ et des balles élastiques° toute l'année.

Dans le fait,° mes camarades, et Fontanet lui-même, ₂₅ n'avaient qu'un seul grief ˣ contre ma gibecière: son étran-

s'agenouiller to kneel	**laid** ugly
de mon fait through my doing	**soupçonner** to suspect
cour d'honneur principal court	**boule de neige** snowball
gibecière schoolbag	**marron d'Inde** horse chestnut
portefeuille portfolio	**balles élastiques** rubber balls
cordonnier shoemaker	**dans le fait** in reality
courroie strap	

geté.ˣ Elle n'était pas comme les autres; de là tous les maux qu'elle m'a causés. Les enfants ont un sentiment brutal de l'égalité.ˣ Ils ne souffrent rien de distinctif ni d'original. C'est ce caractère que mon oncle n'avait pas 5 assez observé quand il me fit son pernicieux présent. La gibecière de Fontanet était affreuse°; ses deux frères aînés l'ayant traînée° tour à tour sur les bancs° du lycée,° elle ne pouvait plus être salie°; mais, comme elle n'avait rien d'extraordinaire, Fontanet n'en éprouva jamais de désa-10 grément.ˣ Et moi, quand j'entrais dans la cour de la pension,ˣ mon portefeuille au dos, j'étais immédiatement assourdi° par des huées,° entouré, bousculé,° renversé° à plat ventre.° Fontanet appelait cela me faire faire la tortue,° et il montait sur ma carapace.° Il n'était pas bien lourd, 15 mais j'étais humilié. Aussitôt remis debout, je sautais sur sa casquette.

Sa casquette était toujours neuve° et ma gibecière indestructible, hélas! Et nos violences s'enchaînaient par une inexorable fatalité, comme les crimes dans l'antique mai-20 son des Atrides.[2]

Le Livre de mon ami

affreux frightful	**huée** hoot
traîner to drag	**bousculer** to jostle
banc bench	**renverser** to upset
lycée French secondary school, lycée	**à plat ventre** flat on my belly
salir to soil	**tortue** turtle
assourdir to deafen	**carapace** shell
	neuf new

Une Comédie

ALFRED DE MUSSET

Alfred de Musset (1810–1857) won early fame as a poet and is still perhaps best known as one of the Romantic poets, but he also won a great, if belated, success as a dramatist. The failure of his first play, *La Nuit vénitienne* (1830), did not discourage Musset from writing in the dramatic form, but determined him to write plays purely as a literary exercise and not to endeavor to put them on the stage. Between 1830 and 1837 he wrote a succession of plays, mainly light comedies or "proverbs." In 1845, after an interval during which he had given up dramatic composition, he wrote *Il faut qu'une porte soit ouverte ou fermée.* Between that time and his death he wrote several more plays, but it was not until 1847 that a play of Musset's was again tried on the stage. It met with success, and in the following years nearly all of his plays were given successfully. Half a dozen or more of them are still in the repertory of the French state theaters.

Musset entitled the published collection of his plays *Comédies et proverbes*. Some of them are in fact plays with proverbs as titles and can be said to be, to a certain extent, demonstrations of the proverbs. All are light in tone (even when, as in *On ne badine pas avec l'amour,* tragedy or pathos is involved), with the exception of *Lorenzaccio,* a serious historical drama on an Italian Renaissance theme. Musset's comedies struck a new note in French drama. He owed something to Marivaux and something to Shakespeare, but in the main his plays were extremely original. When it came to creation of character Musset had short-comings (all of the heroes are Musset himself), but he had a great gift for dramatic dialogue, and he produced a blend of wit, fancy and Romantic lyricism that was unique on the French stage.

The concept that the greatest thing in life is emotion (and that emotions connected with love are the greatest of all), a concept which developed at the time of his love affair with George Sand (1833–1834), dominates Musset's poetry and may also be observed in his seemingly lighthearted plays, like *Il faut qu'une porte soit ouverte ou fermée.*

This last-named play was written in 1845 and played in 1848. It has remained one of the most popular of Musset's plays. Although written at a period when the author's inspiration seemed to have run dry, it recaptured the lightness and gaiety of his early works. It is quite unsubstantial and lacking in intrigue, but the charm of the dialogue makes us forget that. The dialogue is in fact an action in itself, presenting a convincing psychological development and at the same time an enlightening interpretation of elegant Parisian manners in 1840.

WORD RECOGNITION TABLE

1. *Cognates not easy to recognize*

calcul calculation	écran screen
chambellan chamberlain	hébreu Hebrew
châtier to chastise	hussard hussar
coussin cushion	insensé senseless
dédaigner to disdain	laquais lackey
dégoûter to disgust (with)	logement lodging
déguiser to disguise	machinalement mechanically
désespoir despair	tapisserie tapestry
dessein design	

2. *Apparent cognates with different meanings*
(The apparent cognate is given in parentheses, the real meaning afterward.)

canapé (canapé) couch
carton (carton) cardboard box
inédit (unedited) unpublished

injure (injury) insult
spectacle (spectacle) theatrical
performance

3. *Derivatives*

déraison (dé un + raison) senselessness
déplaire (dé + plaire) to displease
s'ennuyer (ennui boredom +
verb ending) to be bored
ennuyeux (ennui + *adj. ending*) boring
fleurir (fleur + *verb ending*) to
bloom
froideur (froid + *noun ending*)
cold

injouable (in un + jouer + *adj.
ending*) unplayable
redite (re again + dire) repetition
sonnette (sonner + *noun ending*) bell
sottise (sot + *noun ending*)
foolishness
vieillir (vieux + *verb ending*) to
grow old

Il faut qu'une porte soit ouverte ou fermée

Personnages
  Le comte°
  La marquise°
La scène est à Paris: un petit salon

5   *La marquise, assise sur un canapé,*[×] *près de la cheminée,
fait de la tapisserie.*[×] *Le comte entre et salue.*

Le comte. Je ne sais pas quand je me guérirai° de ma
maladresse,° mais je suis d'une cruelle étourderie.° Il
m'est impossible de prendre sur moi de me rappeler votre
10 jour, et toutes les fois que j'ai envie de vous voir, cela ne
manque jamais d'être un mardi.

La marquise. Est-ce que vous avez quelque chose à me
dire?

Le comte. Non, mais, en le supposant, je ne le pourrais
15 pas, car c'est un hasard que vous soyez seule, et vous allez
avoir, d'ici à un quart d'heure, une cohue° d'amis intimes
qui me fera sauver,° je vous en avertis.

La marquise. Il est vrai que c'est aujourd'hui mon jour,
et je ne sais trop pourquoi j'en ai un. C'est une mode qui
20 a pourtant sa raison. Nos mères laissaient leur porte
ouverte; la bonne compagnie n'était pas nombreuse, et se
bornait, pour chaque cercle, à une fournée° d'ennuyeux [×]
qu'on avalait° à la rigueur.° Maintenant, dès qu'on reçoit,

comte count	**cohue** crowd
marquise marchioness	**me fera sauver** will make me leave
se guérir to be cured	**fournée** batch
maladresse clumsiness	**avaler** to swallow, stand
étourderie heedlessness	**à la rigueur** if absolutely necessary

76

on reçoit tout Paris; et tout Paris, au temps où nous sommes, c'est bien réellement Paris tout entier, ville et faubourgs.° Quand on est chez soi, on est dans la rue. Il fallait bien trouver un remède; de là vient que chacun a son jour. C'est le seul moyen de se voir le moins possible, et quand 5 on dit: Je suis chez moi le mardi, il est clair que c'est comme si on disait: Le reste du temps, laissez-moi tranquille.

Le comte. Je n'en ai que plus de tort de venir aujourd'hui, puisque vous me permettez de vous voir dans 10 la semaine.

La marquise. Prenez votre parti et mettez-vous là. Si vous êtes de bonne humeur, vous parlerez; sinon, chauffez°-vous. Je ne compte pas sur un grand monde° aujourd'hui, vous regarderez défiler ma petite lanterne ma- 15 gique.° Mais qu'avez-vous donc? vous me semblez ...

Le comte. Quoi?

La marquise. Pour ma gloire,° je ne veux pas le dire.

Le comte. Ma foi, je vous l'avouerai; avant d'entrer ici, je l'étais un peu. 20

La marquise. Quoi? je le demande à mon tour.

Le comte. Vous fâcherez°-vous si je vous le dis?

La marquise. J'ai un bal° ce soir où je veux être jolie; je ne me fâcherai pas de la journée.°

Le comte. Eh bien! j'étais un peu ennuyé.ˣ Je ne sais pas 25 ce que j'ai; c'est un mal à la mode, comme vos réceptions.

---

faubourg suburb
chauffer to warm
grand monde many people
vous ... magique you will see people pass by (like pictures in a magic lantern)

pour ma gloire for my reputation (*she does not want to have the reputation of boring people*)
se fâcher to be angry
bal ball
de la journée during the whole day

Je me désole depuis midi; j'ai fait quatre visites sans trouver personne. Je devais dîner quelque part; je me suis excusé sans raison. Il n'y a pas un spectacle[×] ce soir. Je suis sorti par un temps glacé°; je n'ai vu que des nez
5 rouges et des joues violettes. Je ne sais que faire, je suis bête comme un feuilleton.°

La marquise. Je vous en offre autant; je m'ennuie à crier.° C'est le temps qu'il fait, sans aucun doute.

Le comte. Le fait est que le froid est odieux; l'hiver est
10 une maladie.° Les badauds° voient le pavé propre, le ciel clair, et quand un vent bien sec leur coupe les oreilles, ils appellent cela une belle gelée.° C'est comme qui dirait une belle fluxion de poitrine.° Bien obligé° de ces beautés-là.

La marquise. Je suis plus que de votre avis. Il me semble
15 que mon ennui° me vient moins de l'air du dehors, tout froid qu'il est, que de celui que les autres respirent. C'est peut-être que nous vieillissons.[×] Je commence à avoir trente ans, et je perds le talent de vivre.

Le comte. Je n'ai jamais eu ce talent-là, et ce qui m'é-
20 pouvante,° c'est que je le gagne. En prenant des années, on devient plat° ou fou, et j'ai une peur atroce de mourir comme un sage.

La marquise. Sonnez pour qu'on mette une bûche° au feu; votre idée me gèle. (*On entend le bruit d'une son-*
25 *nette*[×] *au dehors.*)

---

glacé icy
feuilleton popular newspaper serial
à crier enough to scream
maladie disease
badaud idler
gelée frost

fluxion de poitrine congestion of
    the lungs
bien obligé I can well do without
ennui boredom
épouvanter to terrify
plat flat, dull
bûche log

Le comte. Ce n'est pas la peine; on sonne à la porte, et votre procession arrive.

La marquise. Voyons quelle sera la bannière,° et surtout, tâchez de rester.

Le comte. Non; décidément je m'en vais. 5

La marquise. Où allez-vous?

Le comte. Je n'en sais rien. (*Il se lève, salue et ouvre la porte.*) Adieu, madame, à jeudi soir.

La marquise. Pourquoi jeudi?

Le comte. (*Debout, tenant le bouton de la porte.*°) 10 N'est-ce pas votre jour aux Italiens?[1] J'irai vous faire une petite visite.

La marquise. Je ne veux pas de vous; vous êtes trop maussade.° D'ailleurs j'y mène M. Camus.°

Le comte. M. Camus, votre voisin de campagne? 15

La marquise. Oui; il m'a vendu des pommes° et du foin° avec beaucoup de galanterie, et je veux lui rendre sa politesse.

Le comte. C'est bien vous, par exemple. L'être le plus ennuyeux! on devrait le nourrir de sa marchandise. Et, à 20 propos, savez-vous ce qu'on dit?

La marquise. Non. Mais on ne vient pas: qui avait donc sonné?

Le comte. (*Regardant à la fenêtre.*) Personne, une petite fille, je crois, avec un carton,× je ne sais quoi, une blanchis- 25 seuse.° Elle est là, dans la cour, qui parle à vos gens.

---

bannière standard bearer, head of the procession
bouton de la porte doorknob
maussade sulky
M. Camus. camus *means* "pug-

nosed." The name suggests that the man was not handsome.
pomme apple
foin hay
blanchisseuse laundress

La marquise. Vous appelez cela je ne sais quoi; vous êtes poli, c'est mon bonnet. Eh bien, qu'est-ce qu'on dit de moi et de M. Camus? — Fermez donc cette porte ... Il vient un vent horrible.

5 *Le comte.* (*Fermant la porte.*) On dit que vous pensez à vous remarier, que M. Camus est millionnaire, et qu'il vient chez vous bien souvent.

La marquise. En vérité! pas plus que cela? Et vous me dites cela au nez tout bonnement°?

10 *Le comte.* Je vous le dis, parce qu'on en parle.

La marquise. C'est une belle raison. Est-ce que je vous répète tout ce qu'on dit de vous aussi par le monde?

Le comte. De moi, madame? Que peut-on dire, s'il vous plaît, qui ne puisse pas se répéter?

15 *La marquise.* Mais vous voyez bien que tout peut se répéter, puisque vous m'apprenez que je suis à la veille d'être annoncé madame Camus. Ce qu'on dit de vous est au moins aussi grave, car il paraît malheureusement que c'est vrai.

20 *Le comte.* Et quoi donc? Vous me feriez peur.

La marquise. Preuve de plus qu'on ne se trompe pas.

Le comte. Expliquez-vous, je vous en prie.

La marquise. Ah! pas du tout; ce sont vos affaires.

Le comte. (*Se rasseyant.*) Je vous en supplie, marquise, 25 je vous le demande en grâce. Vous êtes la personne du monde dont l'opinion a le plus de prix pour moi.

La marquise. L'une des personnes, vous voulez dire.

Le comte. Non, madame, je dis: la personne, celle, dont l'estime, le sentiment, la ...

---

bonnement simply

La marquise. Ah, ciel! vous allez faire une phrase.°

Le comte. Pas du tout. Si vous ne voyez rien, c'est qu'apparemment vous ne voulez rien voir.

La marquise. Voir quoi?

Le comte. Cela s'entend de reste.° 5

La marquise. Je n'entends que ce qu'on me dit, et encore pas des deux oreilles.

Le comte. Vous riez de tout; mais, sincèrement, serait-il possible que, depuis un an, vous voyant presque tous les jours, faite comme vous êtes, avec votre esprit, votre grâce 10 et votre beauté ...

La marquise. Mais, mon Dieu°! c'est bien pis qu'une phrase, c'est une déclaration° que vous me faites là. Avertissez au moins: est-ce une déclaration, ou un compliment de bonne année°? 15

Le comte. Et si c'était une déclaration?

La marquise. Oh! c'est que je n'en veux pas ce matin. Je vous ai dit que j'allais au bal, je suis exposée à en entendre ce soir; ma santé ne me permet pas ces choses-là deux fois par jour. 20

Le comte. En vérité, vous êtes décourageante, et je me réjouirai de bon cœur quand vous y serez prise à votre tour.

La marquise. Moi aussi, je m'en réjouirai. Je vous jure qu'il y a des instants où je donnerais de grosses sommes 25 pour avoir seulement un petit chagrin. Tenez, j'étais comme cela pendant qu'on me coiffait,° pas plus tard que

---

faire une phrase make an elaborate compliment

s'entend de reste is easy to understand

mon Dieu my goodness!

déclaration proposal

bonne année New Year

coiffer to arrange the hair

tout à l'heure. Je poussais des soupirs° à me fondre° l'âme,
de désespoir × de ne penser à rien.

Le comte. Raillez,° raillez! vous y viendrez.°

La marquise. C'est bien possible; nous sommes tous
5 mortels. Si je suis raisonnable, à qui la faute°? Je vous
assure que je ne me défends pas.

Le comte. Vous ne voulez pas qu'on vous fasse la
cour°?

La marquise. Non. Je suis très bonne personne, mais
10 quant à cela, c'est par trop° bête. Dites-moi un peu, vous
qui avez le sens commun, qu'est-ce que signifie cette
chose-là: faire la cour à une femme?

Le comte. Cela signifie que cette femme vous plaît, et
qu'on est bien aise de le lui dire.

15 *La marquise.* A la bonne heure; mais cette femme, cela
lui plaît-il, à elle, de vous plaire? Vous me trouvez jolie,
je suppose, et cela vous amuse de m'en faire part. Eh bien,
après? Qu'est-ce que cela prouve? Est-ce une raison pour
que je vous aime? J'imagine que, si quelqu'un me plaît,
20 ce n'est pas parce que je suis jolie. Qu'y gagne-t-il à ses
compliments? La belle manière de° se faire aimer que de
venir se planter devant une femme avec un lorgnon,° de
la regarder des pieds à la tête, comme une poupée° dans
un étalage,° et de lui dire bien agréablement: Madame, je
25 vous trouve charmante! Joignez à cela quelques phrases
bien fades,° un tour de valse et un bouquet, voilà pour-

soupir sigh	**par trop** too, too
fondre to melt	**la belle manière de** what a way
railler to mock, jeer	**lorgnon** lorgnette
vous y viendrez you will come to	**poupée** doll
it in your turn (*fall in love*)	**étalage** shopwindow
à qui la faute? whose fault is it?	**fade** insipid
faire la cour to court	

tant ce qu'on appelle faire sa cour. Fi donc! Comment un homme d'esprit peut-il prendre goût à ces niaiseries°-là? Cela me met en colère, quand j'y pense.

Le comte. Il n'y a pourtant pas de quoi se fâcher.

La marquise. Ma foi, si. Il faut supposer à une femme 5 une tête bien vide et un grand fonds° de sottise,× pour se figurer qu'on la charme avec de pareils ingrédients. Croyez-vous que ce soit bien divertissant de passer sa vie au milieu d'un déluge de fadaises,° et d'avoir du matin au soir les oreilles pleines de balivernes°? Il me semble, 10 en vérité, que si j'étais homme et si je voyais une jolie femme, je me dirais: Voilà une pauvre créature qui doit être bien assommée° de compliments. Je l'épargnerais,° j'aurais pitié d'elle, et, si je voulais essayer de lui plaire, je lui ferais l'honneur de lui parler d'autre chose que de son 15 malheureux visage. Mais non, toujours: Vous êtes jolie, et puis: Vous êtes jolie, et encore jolie. Eh, mon Dieu! on le sait bien. Voulez-vous que je vous dise? vous autres hommes à la mode, vous n'êtes que des confiseurs° déguisés. 20

Le comte. Eh bien! madame, vous êtes charmante, prenez-le comme vous voudrez. (*On entend la sonnette.*) On sonne de nouveau; adieu, je me sauve. (*Il se lève, et ouvre la porte.*)

La marquise. Attendez donc, j'avais à vous dire ... je ne 25 sais plus ce que c'était ... Ah! passez-vous par hasard du côté de Fossin° dans vos courses°?

---

niaiserie silliness
fonds fund, stock
fadaise insipidity
baliverne nonsense
assommée plagued to death

épargner to spare
confiseur candymaker
Fossin *a jeweler of the period*
course errand

Le comte. Ce ne sera pas par hasard, madame, si je puis vous être bon à quelque chose.

La marquise. Encore un compliment! Mon Dieu, que vous m'ennuyez! C'est une bague° que j'ai cassée; je
5 pourrais bien l'envoyer tout bonnement, mais c'est qu'il faut que je vous explique ... (*Elle ôte la bague de son doigt.*) Tenez, voyez-vous, c'est le chaton.° Il y a là une petite pointe, vous voyez bien, n'est-ce pas? Ça s'ouvrait de côté, par là; je l'ai heurtée ce matin je ne sais où, le ressort°
10 à été forcé.

Le comte. Dites donc, marquise, sans indiscrétion,° il y avait des cheveux là-dedans?

La marquise. Peut-être bien. Qu'avez-vous à rire?

Le comte. Je ne ris pas le moins du monde.

15 *La marquise*. Vous êtes un impertinent; ce sont des cheveux de mon mari. Mais je n'entends personne. Qui avait donc sonné encore?

Le comte. (*Regardant à la fenêtre.*) Une autre petite fille et un autre carton. Encore un bonnet, je suppose. A propos,
20 avec tout cela, vous me devez une confidence.

La marquise. Fermez donc cette porte, vous me glacez.

Le comte. Je m'en vais. Mais vous me promettez de me répéter ce qu'on vous a dit de moi, n'est-ce pas, marquise?

La marquise. Venez ce soir au bal, nous causerons.

25 *Le comte*. Ah, parbleu°! oui, causer dans un bal! Joli endroit de conversation, avec accompagnement de trombones et un tintamarre° de verres d'eau sucrée! L'un vous

---

bague ring
chaton bezel (*the seal of the ring, which opened, giving access to a cavity beneath*)
ressort spring

sans indiscrétion if it is not too impertinent
parbleu by Gad!
tintamarre din

marche sur le pied, l'autre vous pousse le coude,° pendant
qu'un laquais× tout poissé° vous fourre° une glace° dans
votre poche. Je vous demande un peu si c'est là ...

La marquise. Voulez-vous rester ou sortir? Je vous répète que vous m'enrhumez.° Puisque personne ne vient, 5
qu'est-ce qui vous chasse?

Le comte. (*Fermant la porte et venant se rasseoir.*) C'est
que je me sens, malgré moi, de si mauvaise humeur, que je
crains vraiment de vous excéder.° Il faut décidément que
je cesse de venir chez vous. 10

La marquise. C'est honnête°; et à propos de quoi?

Le comte. Je ne sais pas, mais je vous ennuie, vous me le
disiez vous-même tout à l'heure, et je le sens bien; c'est
très naturel. C'est ce malheureux logement× que j'ai là en
face; je ne peux pas sortir sans regarder vos fenêtres, et 15
j'entre ici machinalement× sans réfléchir à ce que j'y viens
faire.

La marquise. Si je vous ai dit que vous m'ennuyez ce
matin, c'est que ce n'est pas une habitude. Sérieusement,
vous me feriez de la peine; j'ai beaucoup de plaisir à vous 20
voir.

Le comte. Vous? Pas du tout. Savez-vous ce que je vais
faire? Je vais retourner en Italie.

La marquise. Ah! qu'est-ce que dira mademoiselle ... ?

Le comte. Quelle demoiselle,° s'il vous plaît? 25

La marquise. Mademoiselle je ne sais qui, mademoiselle
votre protégée. Est-ce que je sais le nom de vos danseuses?

coude elbow
poissé sticky, dirty
fourrer to stick
glace ice cream
enrhumer to cause to catch cold

excéder to tire out (*with boredom*)
honnête decent, nice
demoiselle young lady

Le comte. Ah! c'est donc là ce beau discours qu'on vous a tenu sur mon compte?

La marquise. Précisément. Est-ce que vous niez°?

Le comte. C'est un conte à dormir debout.°

5 *La marquise.* Il est fâcheux° qu'on vous ait vu très distinctement au spectacle avec un certain chapeau rose à fleurs, comme il n'en fleurit ˣ qu'à l'Opéra. Vous êtes dans les chœurs,° mon voisin; cela est connu de tout le monde.

Le comte. Comme votre mariage avec M. Camus.

10 *La marquise.* Vous y revenez? Eh bien, pourquoi pas? M. Camus est un fort honnête homme; il est plusieurs fois millionnaire; son âge, bien qu'assez respectable, est juste à point° pour un mari. Je suis veuve,° il est garçon°; il est très bien quand il a des gants.°

15 *Le comte.* Et un bonnet de nuit°: cela doit lui aller.°

La marquise. Voulez-vous bien vous taire, s'il vous plaît? Est-ce qu'on parle de choses pareilles?

Le comte. Dame°! à quelqu'un qui peut les voir.

La marquise. Ce sont apparemment ces demoiselles qui 20 vous apprennent ces jolies façons-là.

Le comte. (*Se levant et prenant son chapeau.*) Tenez, marquise, je vous dis adieu. Vous me feriez dire quelque sottise.ˣ

La marquise. Quel excès de délicatesse!

25 *Le comte.* Non, mais, en vérité, vous êtes trop cruelle.

nier to deny
conte à dormir debout story stupid enough to make you go to sleep standing up
fâcheux annoying
chœur chorus (*the Marquise is saying that the Count had been seen with an Opera chorus girl*)

juste à point just right
veuve widow
garçon bachelor
gant glove
bonnet de nuit nightcap
cela doit lui aller that must suit his style
dame! sure!

C'est bien assez de défendre qu'on vous aime, sans m'accuser d'aimer ailleurs.

La marquise. De mieux en mieux. Quel ton tragique! Moi, je vous ai défendu de m'aimer?

Le comte. Certainement, — de vous en parler, du moins. 5

La marquise. Eh bien! je vous le permets; voyons votre éloquence.

Le comte. Si vous le disiez sérieusement ...

La marquise. Que vous importe? pourvu que° je le dise.

Le comte. C'est que, tout en riant, il pourrait bien y avoir 10 quelqu'un ici qui courût des risques.

La marquise. Oh! Oh! de grands périls, monsieur?

Le comte. Peut-être, madame; mais, par malheur, le danger ne serait que pour moi.

La marquise. Quand on a peur, on ne fait pas le brave. 15 Eh bien! voyons. Vous ne dites rien? Vous me menacez, je m'expose, et vous ne bougez° pas? Je m'attendais à vous voir au moins vous précipiter à mes pieds comme Rodrigue,[2] ou M. Camus lui-même. Il y serait déjà, à votre place. 20

Le comte. Cela vous divertit donc beaucoup de vous moquer du pauvre monde?

La marquise. Et vous, cela vous surprend donc bien de ce qu'on ose vous braver en face?

Le comte. Prenez garde! Si vous êtes brave, j'ai été hus- 25 sard,[x] moi, madame, je suis bien aise de vous le dire, et il n'y a pas encore si longtemps.

La marquise. Vraiment! Eh bien! à la bonne heure. Une déclaration de hussard, cela doit être curieux; je n'ai jamais vu cela de ma vie.° Voulez-vous que j'appelle ma

---

pourvu que provided that   **de ma vie** in my life
bouger to move, budge

femme de chambre? Je suppose qu'elle saura vous répondre. Vous me donnerez une représentation. (*On entend la sonnette.*)

Le comte. Encore cette sonnerie! Adieu donc, marquise.
⁵ Je ne vous tiens pas quitte,° au moins. (*Il ouvre la porte.*)

La marquise. A ce soir toujours, n'est-ce pas? Mais qu'est-ce donc que ce bruit que j'entends?

Le comte. (*Regardant à la fenêtre.*) C'est le temps qui vient de changer. Il pleut° et il grêle° à faire plaisir. On ¹⁰ vous apporte un troisième bonnet, et je crains bien qu'il n'y ait un rhume° dedans.

La marquise. Mais ce tapage°-là, est-ce que c'est le tonnerre°? en plein mois de janvier! et les almanachs?

Le comte. Non; c'est seulement un ouragan,° une espèce ¹⁵ de trombe° qui passe.

La marquise. C'est effrayant. Mais fermez donc la porte; vous ne pouvez pas sortir de ce temps-là. Qu'est-ce qui peut produire une chose pareille?

Le comte ferme la porte. Madame, c'est la colère céleste ²⁰ qui châtie× les carreaux de vitre,° les parapluies° et les tuyaux de cheminée.°

La marquise. Et mes chevaux qui sont sortis!

Le comte. Il n'y a pas de danger pour eux, s'il ne leur tombe rien sur la tête.

²⁵ *La marquise.* Plaisantez° donc à votre tour! Je suis très propre, moi, monsieur, je n'aime pas à crotter° mes che-

je ne ... quitte I don't let you off
pleuvoir to rain
grêler to sleet
rhume cold
tapage racket
tonnerre thunder
ouragan hurricane

trombe waterspout
carreaux de vitre windowpanes
parapluie umbrella
tuyau de cheminée chimney
plaisanter to jest
crotter to dirty up

vaux. C'est inconcevable! Tout à l'heure, il faisait le plus
beau ciel du monde.

Le comte. Vous pouvez bien compter, par exemple, qu'a-
vec cette grêle vous n'aurez personne. Voilà un jour de
moins parmi vos jours. 5

La marquise. Non pas, puisque vous êtes venu. Posez
donc votre chapeau, qui m'impatiente.

Le comte. Un compliment, madame! Prenez garde. Vous
qui faites profession de les haïr,° on pourrait prendre les
vôtres pour la vérité. 10

La marquise. Mais je vous le dis, et c'est très vrai. Vous
me faites grand plaisir en venant me voir.

Le comte. (*Se rasseyant près de la marquise.*) Alors
laissez-moi vous aimer.

La marquise. Mais je vous le dis aussi, je le veux bien; 15
cela ne me fâche pas le moins du monde.

Le comte. Alors laissez-moi vous en parler.

La marquise. A la hussarde,° n'est-il pas vrai?

Le comte. Non, madame, soyez convaincue qu'à défaut
de cœur° j'ai assez de bon sens pour vous respecter. Mais il 20
me semble qu'on a bien le droit, sans offenser une personne
qu'on respecte ...

La marquise. D'attendre que la pluie soit passée, n'est-ce
pas? Vous êtres entré ici tout à l'heure, sans savoir pourquoi,
vous l'avez dit vous-même; vous étiez ennuyé, vous ne sa- 25
viez que faire, vous pouviez même passer pour assez grognon.° Si vous aviez trouvé ici trois personnes, les premières
venues, là, au coin de ce feu, vous parleriez, à l'heure qu'il

---

haïr to hate
à la hussarde like a hussar, that is,
   roughly, cavalierly

à défaut de cœur even if I have no
   heart
grognon grumpy

est, littérature ou chemins de fer,° ³ après quoi vous iriez
dîner. C'est donc parce que je me suis trouvé seule que vous
vous croyez tout à coup obligé, oui, obligé, pour votre honneur, de me faire cette même cour, cette éternelle, insup-
5 portable cour, qui est une chose si inutile, si ridicule, si re-
battue.° Mais qu'est-ce que je vous ai donc fait? Qu'il arrive
ici une visite, vous allez peut-être avoir de l'esprit; mais je
suis seule, vous voilà plus banal qu'un vieux couplet de
vaudeville,° et vite, vous abordez votre thème, et, si je
10 voulais vous écouter, vous m'exhiberiez une déclaration,
vous me réciteriez votre amour. Savez-vous de quoi les
hommes ont l'air en pareil cas? De ces pauvres auteurs
sifflés° qui ont toujours un manuscrit dans leur poche, quelque tragédie inédite × et injouable,× et qui vous tirent cela
15 pour vous en assommer, dès que vous êtes seul un quart
d'heure avec eux.

Le comte. Ainsi, vous me dites que je ne vous déplais pas,
je vous réponds que je vous aime, et puis c'est tout à votre
avis?

20 *La marquise*. Vous ne m'aimez pas plus que le Grand
Turc.°

Le comte. Oh! par exemple, c'est trop fort. Écoutez-moi
un seul instant, et si vous ne me croyez pas sincère ...

La marquise. Non, non, et non! Mon Dieu! croyez-vous
25 que je ne sache pas ce que vous pourriez me dire? J'ai très
bonne opinion de vos études, mais, parce que vous avez de
l'éducation, pensez-vous que je n'aie rien lu? Tenez, je
connaissais un homme d'esprit qui avait acheté, je ne sais

---

chemin de fer railroad
rebattu trite
couplet de vaudeville chorus of a
  popular song

siffler to hiss
Grand Turc the Sultan

où, une collection de cinquante lettres, assez bien faites, très proprement° écrites, des lettres d'amour bien entendu. Ces cinquante lettres étaient graduées° de façon à composer une sorte de petit roman,° où toutes les situations étaient prévues. Il y en avait pour les déclarations, pour les dépits,° 5 pour les espérances, pour les moments d'hypocrisie où l'on se rabat° sur l'amitié, pour les brouilles,° pour les désespoirs,× pour les instants de jalousie, pour la mauvaise humeur, même pour les jours de pluie, comme aujourd'hui. J'ai lu ces lettres. L'auteur prétendait, dans une sorte de 10 préface, en avoir fait usage pour lui-même, et n'avoir jamais trouvé une femme qui résistât plus tard que le trente-troisième numéro. Eh bien! j'ai résisté, moi, à toute la collection. Je vous demande si j'ai de la littérature, et si vous pourriez vous flatter de m'apprendre quelque chose 15 de nouveau.

Le comte. Vous êtes bien blasée, marquise.

La marquise. Des injures ×? J'aime mieux cela; c'est moins fade que vos sucreries.°

Le comte. Oui, en vérité, vous êtes bien blasée. 20

La marquise. Vous le croyez? Eh bien! pas du tout.

Le comte. Comme une vieille Anglaise,° mère de quatorze enfants.

La marquise. Comme la plume qui danse sur mon chapeau. Vous vous figurez donc que c'est une science bien 25 profonde que de vous savoir tous par cœur? Mais il n'y a pas besoin d'étudier pour apprendre; il n'y a qu'à vous laisser faire. Réfléchissez; c'est un calcul × bien simple. Les

---

proprement nicely
gradué arranged in gradation
roman novel
dépit vexation

se rabattre to fall back on
brouille disagreement
sucrerie sweet sayings
Anglaise Englishwoman

hommes assez braves pour respecter nos pauvres oreilles, et pour ne pas tomber dans la sucrerie, sont extrêmement rares. D'un autre côté, il n'est pas contestable que, dans ces tristes instants où vous tâchez de mentir° pour essayer de
5 plaire, vous vous ressemblez tous comme des capucins de cartes.° Heureusement pour nous, la justice du ciel n'a pas mis à votre disposition un vocabulaire très varié. Vous n'avez tous, comme on dit, qu'une chanson, en sorte que le seul fait d'entendre les mêmes phrases, la seule répétition
10 des mêmes mots, des mêmes gestes apprêtés, des mêmes regards tendres, le spectacle seul de ces figures diverses qui peuvent être plus ou moins bien par elles-mêmes, mais qui prennent toutes, dans ces moments funestes,° où vous tâchez de mentir, pour essayer de plaire, la même physio-
15 nomie humblement conquérante, cela nous sauve par l'envie de rire, ou du moins par le simple ennui. Si j'avais une fille, et si je voulais la préserver de ces entreprises qu'on appelle dangereuses, je me garderais° bien de lui défendre d'écouter les pastorales de ses valseurs.° Je lui dirais seule-
20 ment: N'en écoute pas un seul, écoute-les tous; ne ferme pas le livre et ne marque pas la page; laisse-le ouvert, laisse ces messieurs te raconter leurs petites drôleries. Si, par malheur, il y en a un qui te plaît; ne t'en défends pas, attends seulement; il en viendra un autre tout pareil qui
25 te dégoûtera × de tous les deux. Tu as quinze ans, je suppose; eh bien! mon enfant, cela ira ainsi jusqu'à trente, et ce sera toujours la même chose. Voilà mon histoire et ma science; appelez-vous cela être blasée?

---

mentir to lie
capucins de cartes bent playing
   cards in a row

funeste disastrous
se garder de to take care not to
valseur dancing partner

Le comte. Horriblement, si ce que vous dites est vrai; et cela semble si peu naturel, que le doute pourrait être permis.

La marquise. Qu'est-ce que cela me fait que vous me croyiez ou non?

Le comte. Encore mieux. Est-ce bien possible? Quoi! à votre âge, vous méprisez° l'amour? Les paroles d'un homme qui vous aime vous font l'effet d'un méchant roman? Ses regards, ses gestes, ses sentiments vous semblent une comédie? Vous vous piquez° de dire vrai, et vous ne voyez que mensonge° dans les autres? Mais d'où revenez-vous donc,° marquise? Qu'est-ce qui vous a donné ces maximes-là?

La marquise. Je reviens de loin, mon voisin.

Le comte. Oui, de nourrice.° Les femmes s'imaginent qu'elles savent toute chose au monde; elles ne savent rien du tout. Je vous le demande à vous-même, quelle expérience pouvez-vous avoir? Celle de ce voyageur qui, à l'auberge,° avait vu une femme rousse,° et qui écrivit sur son journal: Les femmes sont rousses dans ce pays-ci.

La marquise. Je vous avais prié de mettre une bûche au feu.

Le comte. (*Mettant la bûche.*) Être prude, cela se conçoit; dire non, se boucher° les oreilles, haïr l'amour, cela se peut; mais le nier, quelle plaisanterie°! Vous découragez un pauvre diable en lui disant: Je sais ce que vous allez me

mépriser to scorn
se piquer to pride oneself
mensonge lie
d'où revenez-vous donc how disillusioned you are! (*lit.* from where are you returning)

nourrice nurse (*The count means that the marquise is childish.*)
auberge inn
roux red-haired
boucher to stop up
plaisanterie joke

dire. Mais n'est-il pas en droit de vous répondre: Oui,
madame, vous le savez peut-être; et moi aussi, je sais ce
qu'on dit quand on aime, mais je l'oublie en vous parlant!
Rien n'est nouveau sous le soleil; mais je dis à mon tour:
5 Qu'est-ce que cela prouve?

La marquise. A la bonne heure, au moins! vous parlez
très bien; à peu de chose près,° c'est comme un livre.

Le comte. Oui, je parle, et je vous assure que, si vous
êtes telle qu'il vous plaît de le paraître, je vous plains très
10 sincèrement.

La marquise. A votre aise; faites comme chez vous.

Le comte. Il n'y a rien là qui puisse vous blesser. Si vous
avez le droit de nous attaquer, n'avons-nous pas raison de
nous défendre? Quand vous nous comparez à des auteurs
15 sifflés, quel reproche croyez-vous nous faire? Eh! mon
Dieu, si l'amour est une comédie ...

La marquise. Le feu ne va pas; la bûche est de travers.°

Le comte. (*Arrangeant le feu.*) Si l'amour est une comédie, cette comédie, vieille comme le monde, sifflée ou non,
20 est, au bout du compte, ce qu'on a encore trouvé de moins
mauvais. Les rôles sont rebattus, j'y consens, mais, si la
pièce ne valait rien, tout l'univers ne la saurait pas par
cœur; — et je me trompe en disant qu'elle est vieille.
Est-ce être vieux que d'être immortel?

25 *La marquise.* Monsieur, voilà de la poésie.

Le comte. Non, madame; mais ces fadaises, ces bali-
vernes qui vous ennuient, ces compliments, ces déclarations, tout ce radotage,° sont de très bonnes anciennes
choses, convenues, si vous voulez, fatigantes, ridicules par-

---

à peu de chose près almost   **radotage** drivel
de travers crookedly placed

fois, mais qui en accompagnent une autre, laquelle est toujours jeune.

La marquise. Vous vous embrouillez°; qu'est-ce qui est
toujours vieux, et qu'est-ce qui est toujours jeune?

Le comte. L'amour.

La marquise. Monsieur, voilà de l'éloquence.

Le comte. Non, madame; je veux dire ceci: que l'amour
est immortellement jeune, et que les façons de l'exprimer
sont et demeureront éternellement vieilles. Les formes
usées,° les redites,× ces lambeaux° de romans qui vous sor-
tent du cœur on ne sait pas pourquoi, tout cet entourage,
tout cet attirail,° c'est un cortège de vieux chambellans,×
de vieux diplomates, vieux ministres, c'est le caquet° de
l'antichambre d'un roi; tout cela passe, mais ce roi-là ne
meurt pas. L'amour est mort, vive l'amour!

La marquise. L'amour?

Le comte. L'amour. Et quand même on ne ferait que
s'imaginer ...

La marquise. Donnez-moi l'écran× qui est là.

Le comte. Celui-là?

La marquise. Non, celui de taffetas; voilà votre feu qui
m'aveugle.°

Le comte. (*Donnant l'écran à la marquise.*) Quand
même on ne ferait que s'imaginer qu'on aime, est-ce que
ce n'est pas une chose charmante?

La marquise. Mais, je vous dis, c'est toujours la même
chose.

Le comte. Et toujours nouveau, comme dit la chanson.
Que voulez-vous donc qu'on invente? Il faut apparem-

---

s'embrouiller to become mixed up
usé worn out
lambeau shred

attirail paraphernalia
caquet tittle-tattle
aveugler to blind

ment qu'on vous aime en hébreu.× Cette Vénus qui est là
sur votre pendule,° c'est aussi toujours la même chose; en
est-elle moins belle, s'il vous plaît? Si vous ressemblez à
votre grand'mère, est-ce que vous en êtes moins jolie?

5   *La marquise.* Bon, voilà le refrain: jolie. Donnez-moi le
coussin× qui est près de vous.

Le comte. (*Prenant le coussin et le tenant à la main.*)
Cette Vénus est faite pour être belle, pour être aimée et
admirée, cela ne l'ennuie pas du tout. Si le beau corps
10 trouvé à Milo⁴ a jamais eu un modèle vivant, assurément
cette grande gaillarde° a eu plus d'amoureux qu'il ne lui en
fallait, et elle s'est laissé aimer comme une autre, comme
sa cousine Astarté, comme Aspasie et Manon Lescaut.

La marquise. Monsieur, voilà de la mythologie.

15   *Le comte.* (*Tenant toujours le coussin.*) Non, madame;
mais je ne puis dire combien cette indifférence à la mode,
cette froideur× qui raille et dédaigne,× cet air d'expérience
qui réduit tout à rien, me font peine à voir à une jeune
femme. Vous n'êtes pas la première chez qui je les ren-
20 contre: c'est une maladie× qui court les salons. On se détourne, on bâille,° comme vous en ce moment, on dit
qu'on ne veut pas entendre parler d'amour. Alors, pourquoi mettez-vous de la dentelle°? Qu'est-ce que ce pom-
pon°-là fait sur votre tête?

25   *La marquise.* Et qu'est-ce que ce coussin fait dans votre
main? Je vous l'avais demandé pour le mettre sous mes
pieds.

Le comte. Eh bien! l'y voilà, et moi aussi; et je vous

pendule clock	**dentelle** lace
gaillarde wench	**pompon** ornamental tuft
bâiller to yawn	

ferai une déclaration, bon gré, mal gré,° vieille comme les
rues et bête comme une oie°; car je suis furieux contre
vous. (*Il pose le coussin à terre devant la marquise, et se
met à genoux dessus.*)

La marquise. Voulez-vous me faire la grâce de vous 5
ôter de là, s'il vous plaît?

Le comte. Non; il faut d'abord que vous m'écoutiez.

La marquise. Vous ne voulez pas vous lever?

Le comte. Non, non, et non! comme vous le disiez tout
à l'heure, à moins que vous ne consentiez à m'entendre. 10

La marquise. J'ai bien l'honneur de vous saluer.° (*Elle
se lève.*)

Le comte. (*Toujours à genoux.*) Marquise, au nom du
ciel! cela est trop cruel. Vous me rendrez fou, vous me dé-
sespérez. 15

La marquise. Cela vous passera au Café de Paris.[5]

Le comte. (*De même.*) Non, sur l'honneur, je parle du
fond de l'âme. Je conviendrai, tant que vous voudrez, que
j'étais entré ici sans dessein ×; je ne comptais que vous
voir en passant, témoin° cette porte que j'ai ouverte trois 20
fois pour m'en aller. La conversation que nous venons
d'avoir, vos railleries, votre froideur même, m'ont entraîné
plus loin qu'il ne fallait peut-être; mais ce n'est pas d'aujourd'hui seulement, c'est du premier jour où je vous ai
vue, que je vous aime, que je vous adore ... Je n'exagère 25
pas en m'exprimant ainsi ... ; oui, depuis plus d'un an, je
vous adore, je ne songe ...

---

bon gré, mal gré whether you are
  willing or unwilling
oie goose
j'ai ... saluer (*a coldly polite fare-*

well) I have the honor of salut-
  ing you, sir
témoin witness

La marquise. Adieu. (*La marquise sort et laisse la porte ouverte.*)

Le comte. (*Demeuré seul, il reste un moment encore à genoux, puis il se lève et il dit.*) C'est la vérité que cette porte
5 est glaciale. (*Il va pour sortir, et voit la marquise.*) Ah! marquise, vous vous moquez de moi.

La marquise. (*Appuyée sur la porte entr'ouverte.°*) Vous voilà debout?

Le comte. Oui, et je m'en vais pour ne plus jamais vous
10 revoir.

La marquise. Venez ce soir au bal, je vous garde une valse.

Le comte. Jamais, jamais je ne vous reverrai! Je suis au désespoir, je suis perdu.

15 *La marquise.* Qu'avez-vous?

Le comte. Je suis perdu, je vous aime comme un enfant. Je vous jure sur ce qu'il y a de plus sacré au monde.

La marquise. Adieu. (*Elle veut sortir.*)

Le comte. C'est moi qui sors, madame; restez, je vous en
20 supplie. Ah! je sens combien je vais souffrir!

La marquise. (*D'un ton sérieux.*) Mais enfin, monsieur, qu'est-ce que vous me voulez?

Le comte. Mais, madame, je veux ... je désirerais ... ce serait ma vie entière que je mettrais à vos pieds; ce se-
25 rait mon nom, mes biens, mon honneur même que je voudrais vous confier. Moi, vous confondre un seul instant avec aucune femme au monde! L'avez-vous bien pu supposer? me croyez-vous si dépourvu de sens? mon étourderie ou ma déraison × a-t-elle donc été si loin que de vous
30 faire douter de mon respect? Vous qui me disiez tantôt

entr'ouverte half open

que vous aviez quelque plaisir à me voir, peut-être quelque amitié pour moi (n'est-il pas vrai, marquise), pouvez-vous penser qu'un homme ainsi distingué par vous, que vous avez pu trouver digne d'une si précieuse, d'une si douce indulgence, ne saurait pas ce que vous valez? Suis-je donc 5 aveugle° ou insensé×?

La marquise. Ah! — Eh bien, si vous m'aviez dit cela en arrivant, nous ne nous serions pas disputés. — Ainsi, vous voulez m'épouser?

Le comte. Mais certainement, j'en meurs d'envie, je n'ai 10 jamais osé vous le dire, mais je ne pense pas à autre chose depuis un an; je donnerais mon sang pour qu'il me fût permis d'avoir la plus légère espérance ...

La marquise. Attendez donc, vous êtes plus riche que moi. 15

Le comte. Oh! mon Dieu, je ne crois pas, et qu'est-ce que cela vous fait? Je vous en supplie, ne parlons pas de ces choses-là! Votre sourire, en ce moment, me fait frémir° d'espoir et de crainte. Un mot, par grâce, ma vie est dans vos mains. 20

La marquise. Je vais vous dire deux proverbes: le premier, c'est qu'il n'y a rien de tel que de s'entendre.° Par conséquent nous causerons de ceci.

Le comte. Ce que j'ai osé vous dire ne vous déplaît donc pas. 25

La marquise. Mais non. Voici mon second proverbe: c'est qu'il faut qu'une porte soit ouverte ou fermée. Or voilà trois quarts d'heure que celle-ci, grâce à vous, n'est ni l'un ni l'autre, et cette chambre est parfaitement gelée.

---

aveugle blind
frémir to shudder

il n'y a ... s'entendre there's nothing better than clearing up a misunderstanding

Par conséquent aussi, vous allez me donner le bras pour aller dîner chez ma mère. Après cela, vous irez chez Fossin.

Le comte. Chez Fossin, madame? pour quoi faire?

5 *La marquise.* Ma bague.

Le comte. Ah! c'est vrai, je n'y pensais plus. Eh bien! votre bague, marquise?

La marquise. Marquise, dites-vous? Eh bien! à ma bague, il y a justement sur le chaton une petite couronne°;

10 et comme cela peut servir de cachet° ... Dites donc, comte, qu'en pensez-vous? il faudra peut-être ôter les fleurons?°⁶ Allons, je vais mettre un chapeau.

Le comte. Vous me comblez° de joie! ... comment vous exprimer ...

15 *La marquise.* Mais fermez donc cette malheureuse porte! cette chambre ne sera plus habitable.

couronne crown	fleuron flower-shaped ornament
cachet seal	combler to overwhelm

Choix de maximes et pensées

LA ROCHEFOUCAULD, PASCAL, LA BRUYÈRE

The more cultivated members of elegant French society in the seventeenth century had a great fondness for moralizing, and above all for that form of moralizing which consists of a study of the nature of man as a social being. But, in order to please these cultivated French men and French ladies, such moralizing had to avoid being pedantic or boring, and, hence, it was obliged to be witty and light, and often satirical, cynical, malicious. Out of this taste grew a new literary form: that known as "maximes" or "pensées." *Maximes* or *pensées* are general truths, concisely expressed, and are usually psychological generalizations, based upon observation of social man. They are one of the most characteristic expressions of the French genius: concise, clear notations coming from a shrewd, realistic, sometimes malicious insight into the behavior of man in society.

The Duke of La Rochefoucauld (1613–1680) was the creator of the form. At middle age he was disillusioned with political and military life and sought refuge in the salons of Paris, where he enjoyed the company of elegant ladies, while he wrote, revised and polished his *Maximes,* which were first published in 1665 and went through four successive revisions and enlargements before the author's death. Throughout the *Maximes,* serving as explanation of their skeptical, sometimes cynical, attitude, there runs as *leit-motif* the theory that men (that is, men and women of court and society as the author knew them) are creatures whose actions are governed wholly by the principle of self-love. The book had great success and great influence. Voltaire, a century later, said of it: "It accustomed people to think and to express their thoughts in a form vigorous, concise and delicate."

Blaise Pascal (1623–1662) is a different case altogether. A great mathematician, who in his thirties became a mystically devout Christian and who threw himself passionately into the most violent religious controversy of the time, the writing of witty maxims to divert polite society was farthest from his desires. Yet, in the last years of his life, while preparing a work that was to be a great defense of the Christian religion, a work that was interrupted by his premature death, he yielded to the contagion of the time sufficiently to jot down notes that were frequently in a concise, brilliant form like that of the *Maximes* of La Rochefoucauld. These notes, with other, longer fragments, were published in 1670 with the title *Pensées*. This work, fragmentary as it is, remains as one of the grandest expressions of the human spirit. The selections that we have chosen show that whereas Pascal was as pessimistic as La Rochefoucauld, he was not cynical or malicious, and that his poet's and mystic's soul enabled him to reach depths of poignancy unknown to the witty and social author of the *Maximes*.

Jean de La Bruyère (1645–1696) published in 1688 a work entitled *Caractères ou mœurs de ce siècle*. Not desirous of being accused of imitating La Rochefoucauld, he interspersed among his *pensées* on many subjects brilliant word-portraits of contemporary types. La Bruyère was less a student of psychology than La Rochefoucauld and more an observer of manners. And whereas La Rochefoucauld's only stylistic aims were clarity and concision, La Bruyère was more self-consciously an artist and endeavored to produce striking pictorial effects in his carefully balanced sentences.

WORD RECOGNITION TABLE

1. *Words listed in the "2a" category of the "Basic French Vocabulary"*

   amoureux in love
   bonté goodness, kindness
   écraser to crush
   entretien conversation
   faiblesse weakness
   goutte drop

   las tired, weary
   mine bearing
   néanmoins nevertheless
   rompre to break, break off
   son sound

2. *Cognates not easy to recognize*

   dédaigneux disdainful
   dégoûter to cause to be disgusted
   flatter to flatter

   hautain haughty
   hôte host
   impunément with impunity

3. *Apparent cognates with different meanings*
   (The apparent cognate is given in parentheses, the real meaning afterward.)

   complaisant (complacent) obliging
   dévot (devoted) devout person
   dévotion (devotion) extreme piety
   honnête (honest) decent, virtuous

   injure (injury) insult
   précipitation (precipitation) haste
   prévention (prevention) prejudiced fondness

4. *Derivatives*

   empressement (s'empresser to hurry + *noun ending*) haste
   impuissance (im un + puissant

   powerful + *noun ending*) impotence, lack of power

Note on translation of these selections: These passages should be very useful as exercises in preventing the student from developing the habit of sloppy translation. Although the vocabulary of the seventeenth-century moralists is simple and their constructions usually easy, in order to comprehend their thought completely, it is necessary to understand the precise meaning of each word and its exact grammatical relationship to the words accompanying it.

Maximes de La Rochefoucauld

1. Nos vertus ne sont le plus souvent que des vices déguisés.

2. Les passions sont les seuls orateurs qui persuadent toujours. Elles sont comme un art de la nature dont les règles sont infaillibles; et l'homme le plus simple qui a de 5 la passion persuade mieux que le plus éloquent qui n'en a point.

3. Nous avons tous assez de force pour supporter les maux d'autrui.

4. La jalousie se nourrit dans les doutes, et elle devient 10 fureur, ou elle finit, sitôt qu'on passe du doute à la certitude.

5. Il n'y a guère de gens qui ne soient honteux° de s'être aimés, quand ils ne s'aiment plus.

6. Il est du véritable amour comme de l'apparition des 15 esprits: tout le monde en parle, mais peu de gens en ont vu.

7. Nous ne pouvons rien aimer que par rapport à nous, et nous ne faisons que° suivre notre goût et notre plaisir quand nous préférons nos amis à nous-mêmes; c'est néanmoins ˣ par cette préférence seule que l'amitié peut être 20 vraie et parfaite.

honteux ashamed

ne faisons que are doing nothing but

8. Les vieillards° aiment à donner de bons préceptes, pour se consoler de n'être plus en état de donner de mauvais exemples.

9. On ne donne rien si libéralement que ses conseils.

5   10. Rien n'est moins sincère que la manière de demander et de donner des conseils: celui qui en demande paraît avoir une déférence respectueuse pour les sentiments de son ami, bien qu'il ne pense qu'à lui faire approuver les siens, et à le rendre garant° de sa conduite; et celui qui
10 conseille paye la confiance qu'on lui témoigne° d'un zèle ardent et désintéressé, quoiqu'il ne cherche le plus souvent, dans les conseils qu'il donne, que son propre intérêt° ou sa gloire.

11. Si nous résistons à nos passions, c'est plus par leur
15 faiblesse ˣ que par notre force.

12. On n'aurait guère de plaisir si on ne se flattait ˣ jamais.

13. Il y a des gens qui n'auraient jamais été amoureux,ˣ s'ils n'avaient jamais entendu parler de l'amour.

20 14. On aime mieux dire du mal de soi-même que de n'en point parler.

15. Une des choses qui fait que l'on trouve si peu de gens qui paraissent raisonnables et agréables dans la conversation, c'est qu'il n'y a presque personne qui ne pense
25 plutôt à ce qu'il veut dire qu'à répondre précisément à ce

---

vieillard old man
rendre garant to make responsible
  for, make guarantor of

témoigner to exhibit
intérêt self-interest

qu'on lui dit. Les plus habiles° et les plus complaisants˟ se contentent de montrer seulement une mine˟ attentive, au même temps que l'on voit, dans leurs yeux et dans leur esprit, un égarement° pour ce qu'on leur dit, et une précipitation˟ pour retourner à ce qu'ils veulent dire, au lieu ₅ de considérer que c'est un mauvais moyen de plaire aux autres, ou de les persuader, que de chercher si fort à se plaire à soi-même, et que bien écouter et bien répondre est une des plus grandes perfections qu'on puisse avoir dans la conversation. ₁₀

16. Le refus des louanges° est un désir d'être loué° deux fois.

17. On peut dire que les vices nous attendent, dans le cours de la vie, comme des hôtes˟ chez qui il faut successivement loger; et je doute que l'expérience nous les fît ₁₅ éviter, s'il nous était permis de faire deux fois le même chemin.

18. Quand les vices nous quittent, nous nous flattons de la créance° que c'est nous qui les quittons.

19. La vertu n'irait pas si loin si la vanité ne lui tenait ₂₀ compagnie.

20. Qui vit sans folie n'est pas si sage qu'il croit.

21. L'hypocrisie est un hommage que le vice rend à la vertu.

22. Le trop grand empressement˟ qu'on a de s'acquitter ₂₅ d'une obligation est une espèce d'ingratitude.

---

habile clever
égarement inattention
louange praise

louer to praise
créance belief

23. C'est une grande folie de vouloir être sage tout seul.

24. Nul ne mérite d'être loué de bonté,[x] s'il n'a pas la force d'être méchant: toute autre bonté n'est le plus souvent qu'une paresse° ou une impuissance[x] de la volonté.

5 25. La véritable éloquence consiste à dire tout ce qu'il faut, et à ne dire que ce qu'il faut.

26. Quelque bien qu°'on nous dise de nous, on ne nous apprend rien de nouveau.

27. Ce qui fait que les amants° et les maîtresses° ne
10 s'ennuient° point d'être ensemble, c'est qu'ils parlent toujours d'eux-mêmes.

28. Louer les princes des vertus qu'ils n'ont pas, c'est leur dire impunément[x] des injures.[x]

29. On a bien de la peine à rompre[x] quand on ne s'aime
15 plus.

30. Il y a peu d'honnêtes[x] femmes qui ne soient lasses[x] de leur métier.

31. On donne des conseils, mais on n'inspire point de conduite.

20 32. Quand notre mérite baisse, notre goût baisse aussi.

33. La plupart des amis dégoûtent[x] de l'amitié, et la plupart des dévots[x] dégoûtent de la dévotion.[x]

---

paresse laziness
quelque ... que whatever
amant lover

maîtresse loved one
s'ennuyer to be bored

Pensées de Pascal

1. Qu'on ne dise pas que je n'ai rien dit de nouveau: la disposition des matières est nouvelle; quand on joue à la paume,° c'est une même balle dont joue l'un et l'autre, mais l'un la place mieux.

2. Voulez-vous qu'on croie du bien de vous? n'en dites ⁵ pas.

3. Le nez de Cléopâtre: s'il eût été plus court, toute la face de la terre aurait changé.

4. Le silence éternel de ces espaces infinis m'effraie.

5. Le dernier acte est sanglant,° quelque belle que soit ¹⁰ la comédie en tout le reste: on jette enfin de la terre sur la tête, et en voilà° pour jamais.

6. L'homme n'est qu'un roseau,° le plus faible de la nature; mais c'est un roseau pensant. Il ne faut pas que l'univers entier s'arme pour l'écraser×: une vapeur, une ¹⁵ goutte× d'eau, suffit pour le tuer. Mais, quand l'univers l'écraserait, l'homme serait encore plus noble que ce qui le tue, parce qu'il sait qu'il meurt, et l'avantage que l'univers a sur lui; l'univers n'en sait rien.

7. L'homme n'est ni ange° ni bête, et le malheur veut ²⁰ que qui veut faire l'ange fait la bête.°

paume handball
sanglant bloody, harrowing
en voilà there you are
roseau reed

ange angel
fait la bête (*a play on words*) is a
    beast, acts stupidly

1. Qui peut, avec les plus rares talents et le plus excellent mérite, n'être pas convaincu de son inutilité, quand il considère qu'il laisse en mourant un monde qui ne se sent pas° de sa perte et où tant de gens se trouvent pour le
5 remplacer?

2. L'esprit de la conversation consiste bien moins à en montrer beaucoup qu'à en faire trouver aux autres: celui qui sort de votre entretien˟ content de soi et de son esprit l'est de vous parfaitement. Les hommes n'aiment pas à
10 vous admirer, ils veulent plaire; ils cherchent moins à être instruits, et même réjouis, qu'à être goûtés et applaudis; et le plaisir le plus délicat est de faire celui d'autrui.

3. Quand l'on parcourt, sans la prévention˟ de son pays, toutes les formes de gouvernement, l'on ne sait à laquelle
15 se tenir; il y a dans toutes le moins bon et le moins mauvais. Ce qu'il y a de plus raisonnable et de plus sûr, c'est d'estimer celle où l'on est né la meilleure de toutes, et de s'y soumettre.

4. Les enfants sont hautains,˟ dédaigneux,˟ colères, en-
20 vieux, curieux, intéressés,° paresseux,° volages,° timides, intempérants, menteurs,° dissimulés; ils rient et pleurent facilement: ils ont des joies immodérés et des afflictions amères sur de très petits sujets; ils ne veulent point souffrir de mal, et aiment à en faire: ils sont déjà des hommes.

---

ne se sent pas is not aware of   **volage** flighty
intéressé motivated by self-interest   **menteur** liar
paresseux lazy

5. Un beau visage est le plus beau de tous les spectacles; et l'harmonie la plus douce est le son ˣ de voix de celle que l'on aime.

6. Il faut rire avant que° d'être heureux, de peur de mourir sans avoir ri.   5

que *do not translate*

Quatre Contes

VOLTAIRE

François-Marie Arouet de Voltaire (1694–1778) was leader of the liberal thinkers in France in the eighteenth century. Nearly all of his work was destined to serve the cause of the enlightenment in one way or another. So when Voltaire wrote prose fiction, he made it serve as a demonstration of philosophical theories and as a vehicle for satire. His philosophical tales are light and witty, and the best of them, *Zadig* (1747) and *Candide* (1759), are now the most widely read of all his works.

We have given here a chapter from *Zadig* which forms a complete episode. The philosophical problem involved in *Zadig* is that of Providence, good and evil, the vicissitudes of human destiny. In the passage given here, in endeavoring to show ingeniously the difficulty of being happy, Voltaire borrowed from an Oriental source an incident which might be called the first French detective story. It is interesting to note how, later, Poe and Conan Doyle followed the method created by Voltaire: out of a clear sky the amateur detective dazzles the stupid police with his knowledge of a case; it is only afterward that he reveals the shrewd observations and sound reasoning that have led to his deductions.

WORD RECOGNITION TABLE

1. *Words listed in the "2a" category of the "Basic French Vocabulary"*

   auprès near
   coutume custom
   imprimer to print
   poussière dust

   queue tail
   savant learned man
   voler to steal

2. *Cognates not easy to recognize*

   abîme abyss
   épagneule spaniel

   once ounce
   sorcier sorcerer

3. *Apparent cognates with different meanings*
   (The apparent cognate is given in parentheses, the real meaning afterward.)

   cause (cause) case
   procureur (procuror) prosecutor

   réformer (reform) to amend (*a judgment*)
   sens (sense) direction

4. *Derivative*

   dureté (dur + *noun ending*) hardness

Le chien et le cheval

Un jour, se promenant auprès[x] d'un petit bois, Zadig vit accourir à lui un eunuque de la reine,° suivi de plusieurs officiers qui paraissaient dans la plus grande inquiétude, et qui couraient çà et là° comme des hommes égarés° qui
5 cherchent ce qu'ils ont perdu de plus précieux. — Jeune homme, lui dit le premier eunuque, n'avez-vous point vu le chien de la reine? Zadig répondit modestement: c'est une chienne, et non pas un chien. — Vous avez raison, reprit le premier eunuque. — C'est une épagneule[x] très
10 petite, ajouta Zadig; elle boite° du pied gauche de devant, et elle a les oreilles très longues. — Vous l'avez donc vue? dit le premier eunuque tout essouflé.° — Non, répondit Zadig, je ne l'ai jamais vue, et je n'ai jamais su si la reine avait une chienne.

15 Précisément dans le même temps, par une bizarrerie ordinaire de la fortune, le plus beau cheval de l'écurie° du roi s'était échappé des mains d'un palefrenier° dans les plaines de Babylone. Le grand veneur° et tous les autres officiers couraient après lui avec autant d'inquiétude que
20 le premier eunuque après la chienne. Le grand veneur s'adressa à Zadig, et lui demanda s'il n'avait point vu passer le cheval du roi. — C'est, répondit Zadig, le cheval qui galope le mieux; il a cinq pieds de haut, le sabot° fort

reine queen
çà et là here and there
égarés distracted
boiter to limp
essouflé out of breath

écurie stable
palefrenier groom
grand veneur master of the hounds
sabot hoof

petit; il porte une queue× de trois pieds et demi de long;
les bossettes° de son mors° sont d'or à vingt-trois carats;
ses fers° sont d'argent à onze deniers.° — Quel chemin
a-t-il pris? où est-il? demanda le grand veneur. Je ne l'ai
point vu, répondit Zadig, et je n'en ai jamais entendu parler. 5

Le grand veneur et le premier eunuque ne doutèrent
pas que Zadig n'eût volé× le cheval du roi et la chienne de
la reine; ils le firent conduire devant l'assemblée du grand
Desterham,° qui le condamna au knout,° et à passer le
reste de ses jours en Sibérie. A peine le jugement fut-il 10
rendu qu'on retrouva le cheval et la chienne. Les juges
furent dans la douloureuse nécessité de réformer× leur
arrêt°; mais ils condamnèrent Zadig à payer quatre cents
onces× d'or, pour avoir dit qu'il n'avait point vu ce qu'il
avait vu. Il fallut d'abord payer cette amende°; après quoi 15
il fut permis à Zadig de plaider sa cause× au conseil du
grand Desterham; il parla en ces termes:

«Étoiles de justice, abîmes× de science, miroirs de vérité, qui avez la pesanteur du plomb, la dureté du fer,
l'éclat du diamant, et beaucoup d'affinité avec l'or, puisqu'il 20
m'est permis de parler devant cette auguste assemblée, je
vous jure par Orosmade° que je n'ai jamais vu la chienne
respectable de la reine, ni le cheval sacré du roi des rois.
Voici ce qui m'est arrivé: Je me promenais vers le petit
bois où j'ai rencontré depuis le vénérable eunuque et le 25

---

bossette stud
mors bit
fer shoe (*of a horse*)
argent à onze deniers silver eleven-
   twelfths pure
grand Desterham *one of the im-*
   portant ministers in Turkey and
   Persia

knout knout (*a scourge used for*
   punishment in Russia and the
   Orient)
arrêt judgment
amende fine
Orosmade Ormuzd (*Persian god*
   of light)

très illustre grand veneur. J'ai vu sur le sable les traces
d'un animal, et j'ai jugé aisément que c'étaient celles d'un
petit chien. Des sillons° légers et longs, imprimés ˣ sur de
petites éminences de sable entre les traces des pattes,° m'ont
⁵ fait connaître que c'était une chienne dont les mamelles°
étaient pendantes.° D'autres traces en un sens ˣ différent,
qui paraissaient toujours avoir rasé° la surface du sable
à côté des pattes de devant, m'ont appris qu'elle avait les
oreilles très longues; et comme j'ai remarqué que le sable
¹⁰ était toujours moins creusé par une patte que les trois
autres, j'ai compris que la chienne de notre auguste reine
était un peu boiteuse,° si je l'ose dire.

«A l'égard du cheval du roi des rois, vous saurez que,
me promenant dans les routes de ce bois, j'ai aperçu les
¹⁵ marques des fers d'un cheval; elles étaient toutes à égales
distances. Voilà, ai-je dit, un cheval qui a un galop parfait.
La poussière ˣ des arbres, dans une route étroite qui n'a que
sept pieds de large, était un peu enlevé à droite et à gauche,
à trois pieds et demi du milieu de la route. Ce cheval, ai-je
²⁰ dit, a une queue de trois pieds et demi, qui, par ses mouve-
ments de droite et de gauche, a balayé° cette poussière.
J'ai vu sous les arbres, qui formaient un berceau° de cinq
pieds de haut, les feuilles des branches nouvellement tombées; et j'ai connu que ce cheval y avait touché, et qu'ainsi
²⁵ il avait cinq pieds de haut. Quant à son mors, il doit être
d'or à vingt-trois carats; car il en a frotté° les bossettes
contre une pierre que j'ai reconnue être une pierre de

sillon furrow	**boiteux** lame
patte paw	**balayer** to sweep
mamelle teat, dug	**berceau** arbor, arch
pendantes hanging	**frotter** to rub
raser to shave, skim	

touche,° et dont j'ai fait l'essai.° J'ai jugé enfin, par les marques que ses fers ont laissées sur des cailloux° d'une autre espèce, qu'il était ferré° d'argent à onze deniers.»

Tous les juges admirèrent le profond et subtil discernement de Zadig, la nouvelle en vint jusqu'au roi et à la 5 reine. On ne parlait que de Zadig dans les antichambres, dans la chambre et dans le cabinet; et quoique plusieurs mages° opinassent qu'on devait le brûler comme sorcier,× le roi ordonna qu'on lui rendît l'amende des quatre cents onces d'or à laquelle il avait été condamné. Le greffier,° 10 les huissiers,° les procureurs× vinrent chez lui en grand appareil° lui rapporter ces quatre cents onces; ils en retinrent seulement trois cent quatre-vingt-dix-huit pour les frais de justice, et leurs valets demandèrent des honoraires.° 15

Zadig vit combien il était dangereux quelquefois d'être trop savant,× et se promit bien, à la première occasion, de ne point dire ce qu'il avait vu.

Cette occasion se trouva bientôt. Un prisonnier d'État s'échappa; il passa sous les fenêtres de sa maison. On in- 20 terrogea Zadig, il ne répondit rien; mais on lui prouva qu'il avait regardé par la fenêtre. Il fut condamné pour ce crime à cinq cents onces d'or, et il remercia ses juges de leur indulgence, selon la coutume × de Babylone.

Grand Dieu! dit-il en lui-même, qu'on est à plaindre° 25

---

pierre de touche touchstone (*a dark stone on which the purity of gold alloys may be determined by rubbing*)
dont j'ai fait l'essai on which I assayed it
caillou pebble
ferré shod

mage magian (*Oriental priest*)
greffier clerk of court
huissier bailiff
en grand appareil in full regalia
honoraire fee, tip
qu'on est à plaindre how one is to be pitied

quand on se promène dans un bois où la chienne de la reine et le cheval du roi ont passé! qu'il est dangereux de se mettre à la fenêtre! et qu'il est difficile d'être heureux dans cette vie!

PROSPER MÉRIMÉE

Prosper Mérimée (1803–1870) is best known for bringing the short story to perfection in France. His method was admirably adapted to the form: a romantic subject, an exotic setting and a cold, impersonal telling of the story. His style was impeccable, a perfect medium for his work: whether it be description of colorful landscapes, rapid action or convincingly realistic dialogue, the desired effect is attained with the greatest possible economy. Mérimée never used an unnecessary word.

The best-known stories of Mérimée have Spain and Corsica as settings. *Carmen* (1845) is most famous of all. *Colomba* (1840) was written after a trip to Corsica, but its local color is no more convincing than that of the story given here, which was written before the author ever saw the island (1829). *Mateo Falcone* is a little gem, a miniature tragedy, perfectly told.

WORD RECOGNITION TABLE

1. *Words listed in the "2a" category of the "Basic French Vocabulary"*

aborder to accost
au besoin in case of need
blessure wound
brun brown
chasse hunting
désespéré desperate
étendue extent
fouiller to search
fusil gun
hausser to raise, shrug
ménage household, housekeeping

mou (molle) soft
pendre to hang
prière prayer
prise capture
semer to sow
sentier path
seuil threshold
soupçonner to suspect
témoin witness
trahir to betray
trou hole
viser to aim

2. *Cognates not easy to recognize*

brodé embroidered
caporal corporal
clairière clearing
dessein design, purpose
héritier heir
incroyable incredible
jais jet
matelas mattress

obstruer to obstruct
produit product
renouveler to renew
rocher rock
scruter to scrutinize
stylet stiletto
trahison treason, treachery

3. *Apparent cognates with different meanings*
(The apparent cognate is given in parentheses, the real meaning afterward.)

adjudant (adjutant) sergeant
armer (arm) to cock
bonnet (bonnet) hat
canon (cannon) barrel (*of a gun*)
cendres (cinders) ashes
coffre (coffer) chest
couverture (cover) blanket
curé (curate) priest
drôle (droll) rascal
indigne (indignant) unworthy

laboureur (laborer), plowman, farmer
malice (malice) trick
malignement (malignantly) maliciously
talon (talon) heel
teint (tint) complexion
velour (velours) velvet
veste (vest) coat
visiter (visit) to examine

4. *Derivatives*

arbrisseau (arbre + *diminutive ending*) shrub
inégal (in un + égal) unequal
montagnard (montagne + *noun ending*) mountaineer
parenté (parent + *noun ending*) relationship

refroidir (re + froid) to grow cold
sanglant (sang + *adj. ending*) bloody, bleeding
tir (tirer to shoot) shooting
tireur (tirer to shoot) shot

Mateo Falcone

En sortant de Porto-Vecchio [1] et se dirigeant au nord-ouest, vers l'intérieur de l'île, on voit le terrain s'élever assez rapidement, et, après trois heures de marche par des sentiers[×] tortueux,° obstrués[×] par de gros quartiers de rocs, et quelquefois coupés par des ravins, on se trouve sur 5 le bord d'un maquis° très étendu. Le maquis est la patrie des bergers corses° et de quiconque s'est brouillé° avec la justice. Il faut savoir que le laboureur[×] corse, pour s'épargner° la peine de fumer° son champ, met le feu à une certaine étendue[×] de bois: tant pis si la flamme se répand 10 plus loin que besoin n'est°; arrive que pourra,° on est sûr d'avoir une bonne récolte° en semant[×] sur cette terre fertilisée par les cendres[×] des arbres qu'elle portait. Les épis° enlevés, car on laisse la paille,° qui donnerait de la peine à recueillir, les racines° qui sont restées en terre sans 15 se consumer poussent, au printemps suivant, des cépées° très épaisses qui, en peu d'années, parviennent à une hauteur de sept ou huit pieds. C'est cette manière de taillis° fourré° que l'on nomme maquis. Différentes espèces d'arbres et d'arbrisseaux[×] le composent, mêlés et confondus 20

tortueux tortuous, winding
maquis *use same word in English*
berger corse Corsican shepherd
se brouiller to get tangled up
épargner to spare
fumer to fertilize
que besoin n'est than necessary
arrive que pourra whatever happens

récolte crop
épi head of wheat
paille straw, stalk
racine root
cépée shoot
taillis undergrowth
fourré dense

comme il plaît à Dieu. Ce n'est que la hache° à la main que l'homme s'y ouvrirait un passage, et l'on voit des maquis si épais et si touffus,° que les mouflons° eux-mêmes ne peuvent y pénétrer.

5 Si vous avez tué un homme, allez dans le maquis de Porto-Vecchio, et vous y vivrez en sûreté, avec un bon fusil,˟ de la poudre et des balles; n'oubliez pas un manteau brun ˟ garni d'un capuchon,° qui sert de couverture ˟ et de matelas.˟ Les bergers vous donnent du lait,° du fromage° et 10 des châtaignes,° et vous n'aurez rien à craindre de la justice ou des parents du mort, si ce n'est° quand il vous faudra descendre à la ville pour y renouveler ˟ vos munitions.

Mateo Falcone, quand j'étais en Corse en 18..,[2] avait sa maison à une demi-lieue° de ce maquis. C'était un homme 15 assez riche pour le pays; vivant noblement, c'est-à-dire sans rien faire, du produit ˟ de ses troupeaux,° que des bergers, espèces de nomades, menaient paître° çà et là sur les montagnes. Lorsque je le vis, deux années après l'événement que je vais raconter, il me parut âgé de cinquante ans tout 20 au plus.° Figurez-vous un homme petit mais robuste, avec des cheveux crépus,° noir comme le jais,˟ un nez aquilin, les lèvres minces, les yeux grands et vifs, et un teint ˟ couleur de revers de botte.° Son habileté au tir ˟ du fusil passait pour extraordinaire, même dans son pays où il y a tant de 25 bons tireurs.˟ Par exemple, Mateo n'aurait jamais tiré sur

---

hache axe
touffu bushy
mouflon moufflon, wild sheep
capuchon hood
lait milk
fromage cheese
châtaigne chestnut

si ce n'est except
demi-lieue half league
troupeau flock
paître to graze
tout au plus at most
crépu woolly
revers de botte boot lining, leather

un mouflon avec des chevrotines°; mais, à cent vingt pas, il l'abattait d'une balle dans la tête ou dans l'épaule, à son choix. La nuit, il se servait de ses armes aussi facilement que le jour, et l'on m'a cité de lui ce trait d'adresse qui paraîtra peut-être incroyable ˣ à qui n'a pas voyagé en Corse. 5 A quatre-vingts pas, on plaçait une chandelle allumée derrière un transparent de papier,° large comme une assiette.° Il mettait en joue,° puis on éteignait la chandelle, et, au bout d'une minute, dans l'obscurité la plus complète, il tirait et perçait le transparent trois fois sur quatre. 10

Avec un mérite aussi transcendant, Mateo Falcone s'était attiré une grande réputation. On le disait aussi bon ami que dangereux ennemi: d'ailleurs serviable° et faisant l'aumône,° il vivait en paix avec tout le monde dans le district de Porto-Vecchio. Mais on contait de lui qu'à Corte,³ où il 15 avait pris femme, il s'était débarrassé fort vigoureusement d'un rival qui passait pour aussi redoutable en guerre qu'en amour: du moins on attribuait à Mateo certain coup de fusil qui surprit ce rival comme il était à se raser° devant un petit miroir pendu ˣ à sa fenêtre. L'affaire assoupie,° 20 Mateo se maria. Sa femme Giuseppa lui avait donné d'abord trois filles (dont il enrageait), et enfin un fils, qu'il nomma Fortunato: c'était l'espoir de sa famille, l'héritier ˣ du nom. Les filles étaient bien mariées: leur père pouvait compter au besoin ˣ sur les poignards et les escopettes° de ses gen- 25 dres.° Le fils n'avait que dix ans, mais il annonçait déjà d'heureuses dispositions.

chevrotines buckshot	**aumône** alms
transparent de papier a transparent piece of paper	**raser** to shave
assiette plate	**assoupir** to quiet down
mettre en joue to take aim	**escopette** musket
serviable obliging	**gendre** son-in-law

Un certain jour d'automne, Mateo sortit de bonne heure avec sa femme pour aller visiter un de ses troupeaux dans une clairière ˣ du maquis. Le petit Fortunato voulait l'accompagner, mais la clairière était trop loin; d'ailleurs, il
5 fallait bien que quelqu'un restât pour garder la maison; le père refusa donc: on verra s'il n'eut pas lieu de s'en repentir.

Il était absent depuis quelques heures, et le petit Fortunato était tranquillement étendu au soleil, regardant les montagnes bleues, et pensant que, le dimanche prochain,
10 il irait dîner à la ville, chez son oncle le caporal,ˣ quand il fut soudainement interrompu dans ses méditations par l'explosion d'une arme à feu.° Il se leva et se tourna du côté de la plaine d'où partait ce bruit. D'autres coups de fusil se succédèrent, tirés à intervalles inégaux,ˣ et toujours de plus
15 en plus rapprochés; enfin, dans le sentier qui menait de la plaine à la maison de Mateo parut un homme coiffé°
d'un bonnet ˣ pointu comme en portent les montagnards,ˣ
barbu,° couvert de haillons,° et se traînant avec peine en s'appuyant sur son fusil. Il venait de recevoir un coup de
20 feu dans la cuisse.°

Cet homme était un bandit,° qui, étant parti de nuit pour aller chercher de la poudre à la ville, était tombé en route dans une embuscade de voltigeurs° corses. Après une vigoureuse défense, il était parvenu à faire sa retraite, vive-
25 ment poursuivi et tiraillant° de rocher ˣ en rocher. Mais il avait peu d'avance sur les soldats, et sa blessure ˣ le mettait hors d'état de gagner le maquis avant d'être rejoint.

---

arme à feu firearm
coiffé wearing on his head
barbu bearded
haillon rag
cuisse thigh

bandit outlaw
voltigeur light infantryman (*used to support the police*)
tiraillant skirmishing

Il s'approcha de Fortunato et lui dit:

— Tu es le fils de Mateo Falcone?

— Oui.

— Moi, je suis Gianetto Sanpiero. Je suis poursuivi par les collets jaunes.° Cache-moi, car je ne puis aller plus loin. 5

— Et que dira mon père si je te cache sans sa permission?

— Il dira que tu as bien fait.

— Qui sait?

— Cache-moi vite; ils viennent.

— Attends que mon père soit revenu.   10

— Que j'attende? malédiction! Ils seront ici dans cinq minutes. Allons, cache-moi, ou je te tue.

Fortunato lui répondit avec le plus grand sang-froid:

— Ton fusil est déchargé, et il n'y a plus de cartouches° dans ta carchera.°   15

— J'ai mon stylet.ˣ

— Mais courras-tu aussi vite que moi?

Il fit un saut,° et se mit hors d'attente.

— Tu n'es pas le fils de Mateo Falcone! Me laisseras-tu donc arrêter devant la maison?   20

L'enfant parut touché.

— Que me donneras-tu si je te cache? dit-il, en se rapprochant.

Le bandit fouilla ˣ dans une poche de cuir° qui pendait à sa ceinture,° et il en tira une pièce de cinq francs qu'il 25 avait réservée sans doute pour acheter de la poudre. Fortunato sourit à la vue de la pièce d'argent; il s'en saisit, et dit à Gianetto.

---

collets jaunes yellow collars (*soldiers*)
cartouche cartridge
carchera cartridge pouch

saut leap
cuir leather
ceinture belt

— Ne crains rien.

Aussitôt il fit un grand trou˟ dans un tas° de foin° placé auprès de la maison. Gianetto s'y blottit,° et l'enfant le re- couvrit de manière à lui laisser un peu d'air pour respirer,
5 sans qu'il fût possible cependant de soupçonner˟ que ce foin cachât un homme. Il s'avisa, de plus, d'une finesse° de sauvage assez ingénieuse. Il alla prendre une chatte et ses petits, et les établit sur le tas de foin pour faire croire qu'il n'avait pas été remué depuis peu. Ensuite, remarquant des
10 traces de sang sur le sentier près de la maison, il les couvrit de poussière° avec soin, et, cela fait, il se recoucha au soleil avec la plus grande tranquillité.

Quelques minutes après, six hommes en uniforme brun à collet jaune, et commandés par un adjudant,˟ étaient de-
15 vant la porte de Mateo. Cet adjudant était quelque peu parent de Falcone. (On sait qu'en Corse on suit les degrés de parenté˟ beaucoup plus loin qu'ailleurs.) Il se nommait Tiodoro Gamba: c'était un homme actif, fort redouté des bandits dont il avait déjà traqué plusieurs.

20 — Bonjour, petit cousin, dit-il à Fortunato en l'abor- dant˟; comme te voilà grandi! As-tu vu passer un homme tout à l'heure?

— Oh! je ne suis pas encore si grand que vous, mon cou- sin, répondit l'enfant d'un air niais.°

25 — Cela viendra. Mais n'as-tu pas vu passer un homme, dis-moi?

— Si j'ai vu passer un homme?

— Oui, un homme avec un bonnet pointu en velours˟ noir, et une veste˟ brodée˟ de rouge et de jaune?

tas pile	**finesse** trick
foin hay	**poussière** dust
se blottir to crouch down	**niais** stupid

— Un homme avec un bonnet pointu, et une veste brodée de rouge et de jaune ?

— Oui, réponds vite, et ne répète pas mes questions.

— Ce matin, M. le curé˟ est passé devant notre porte, sur son cheval Piero. Il m'a demandé comment papa se portait, ⁵ et je lui ai répondu ...

— Ah ! petit drôle,˟ tu fais le malin° ! Dis-moi vite par où est passé Gianetto, car c'est lui que nous cherchons ; et, j'en suis certain, il a pris par ce sentier.

— Qui sait ? ¹⁰

— Qui sait ? C'est moi qui sais que tu l'as vu.

— Est-ce qu'on voit les passants quand on dort ?

— Tu ne dormais pas, vaurien° ; les coups de fusil t'ont réveillé.

— Vous croyez donc, mon cousin, que vos fusils font ¹⁵ tant de bruit ? L'escopette de mon père en fait bien davantage.

— Que le diable te confonde, maudit garnement° ! Je suis bien sûr que tu as vu le Gianetto. Peut-être même l'as-tu caché. Allons, camarades, entrez dans cette maison, et ²⁰ voyez si notre homme n'y est pas. Il n'allait plus que d'une patte,° et il a trop de bon sens, le coquin,° pour avoir cherché à gagner le maquis en clopinant.° D'ailleurs, les traces de sang s'arrêtent ici.

— Et que dira papa ? demanda Fortunato en ricanant° ; ²⁵ que dira-t-il s'il sait qu'on est entré dans sa maison pendant qu'il était sorti ?

---

tu fais le malin you are trying to be funny
vaurien good-for-nothing
maudit garnement confounded scamp

patte paw, leg (*familiar*)
coquin knave
clopiner to hobble
ricaner to snicker

—Vaurien! dit l'adjudant Gamba en le prenant par l'o-
reille, sais-tu qu'il ne tient qu'à moi de te faire changer de
note? Peut-être qu'en te donnant une vingtaine de coups
de plat de sabre tu parleras enfin.

5   Et Fortunato ricanait toujours.

— Mon père est Mateo Falcone! dit-il avec emphase.

— Sais-tu bien, petit drôle, que je puis t'emmener à Corte
ou à Bastia.⁴ Je te ferai coucher dans un cachot,° sur la
paille, les fers aux pieds, et je te ferai guillotiner si tu ne dis

10 où est Gianetto Sanpiero.

L'enfant éclata de rire à cette ridicule menace. Il répéta:

— Mon père est Mateo Falcone.

— Adjudant, dit tout bas un des voltigeurs, ne nous
brouillons pas avec Mateo.

15   Gamba paraissait évidemment embarrassé. Il causait à
voix basse avec ses soldats, qui avaient déjà visité˟ toute la
maison. Ce n'était pas une opération fort longue, car la
cabane d'un Corse ne consiste qu'en une seule pièce carrée.°
L'ameublement° se compose d'une table, de bancs, de cof-

20 fres˟ et d'ustensiles de chasse˟ ou de ménage.˟ Cependant
le petit Fortunato caressait sa chatte, et semblait jouir ma-
lignement˟ de la confusion des voltigeurs et de son cousin.

Un soldat s'approcha du tas de foin. Il vit la chatte, et

25 donna un coup de baïonnette dans le foin avec négligence,
et en haussant˟ les épaules, comme s'il sentait que sa pré-
caution était ridicule. Rien ne remua; et le visage de l'enfant ne trahit˟ pas la plus légère émotion.

L'adjudant et sa troupe se donnaient au diable°; déjà ils

---

cachot cell   se donnaient au diable were about
carré square   to give up
ameublement furnishing

regardaient sérieusement du côté de la plaine, comme dis-
posés à s'en retourner par où ils étaient venus, quand leur
chef, convaincu que les menaces ne produiraient aucune
impression sur le fils de Falcone, voulut faire un dernier
effort et tenter le pouvoir des caresses et des présents. 5

— Petit cousin, dit-il, tu me parais un gaillard° bien
éveillé! Tu iras loin. Mais tu joues un vilain° jeu avec moi;
et, si je ne craignais de faire de la peine à mon cousin Mateo,
le diable m'emporte! je t'emmènerais avec moi.

— Bah°! 10

— Mais, quand mon cousin sera revenu, je lui conterai
l'affaire, et, pour ta peine d'avoir menti,° il te donnera le
fouet° jusqu'au sang.

— Savoir°?

— Tu verras ... Mais, tiens ... sois brave garçon, et je te 15
donnerai quelque chose.

— Moi, mon cousin, je vous donnerai un avis: c'est que,
si vous tardez davantage, le Gianetto sera dans le maquis,
et alors il faudra plus d'un luron° comme vous pour aller
l'y chercher. 20

L'adjudant tira de sa poche une montre° d'argent qui
valait bien dix écus°; et, remarquant que les yeux du petit
Fortunato étincelaient° en la regardant, il lui dit en tenant
la montre suspendue au bout de sa chaîne d'acier°:

— Fripon°! tu voudrais bien avoir une montre comme 25
celle-ci suspendu à ton col°; et tu te promènerais dans les

gaillard fellow	**montre** watch
vilain nasty	**écu** *coin worth three francs*
bah! pooh!	**étinceler** to sparkle
mentir to lie	**acier** steel
fouet whip	**fripon** rascal
savoir? that remains to be seen	**col** neck
luron smart fellow	

rues de Porto-Vecchio, fier comme un paon°; et les gens te
demanderaient: «Quelle heure est-il?» et tu leur dirais:
«Regardez à ma montre.»

— Quand je serai grand, mon oncle le caporal me don-
5 nera une montre.

— Oui; mais le fils de ton oncle en a déjà une ... pas
aussi belle que celle-ci, à la vérité ... Cependant il est plus
jeune que toi.

L'enfant soupira.°

10 — Eh bien, la veux-tu, cette montre, petit cousin?

Fortunato, lorgnant° la montre du coin de l'œil, ressemblait à un chat à qui l'on présente un poulet° tout entier.
Comme il sent qu'on se moque de lui, il n'ose y porter la
griffe,° et de temps en temps il détourne les yeux pour ne
15 pas s'exposer à succomber à la tentation; mais il lèche° ses
babines° à tout moment, et il a l'air de dire à son maître:
«Que votre plaisanterie° est cruelle!»

Cependant l'adjudant Gamba semblait de bonne foi en
présentant sa montre. Fortunato n'avança pas la main; mais
20 il lui dit avec un sourire amer:

— Pourquoi vous moquez-vous de moi?

— Par Dieu! je ne me moque pas. Dis-moi seulement où
est Gianetto, et cette montre est à toi.

Fortunato laissa échapper un sourire d'incrédulité; et,
25 fixant ses yeux noirs sur ceux de l'adjudant, il s'efforçait
d'y lire la foi qu'il devait avoir en ses paroles.

— Que je perde mon épaulette,° s'écria le lieutenant, si

paon peacock	**lécher** to lick
soupirer to sigh	**babines** chops
lorgner to ogle	**plaisanterie** joke
poulet chicken	**que je perde mon épaulette** *i.e.*
griffe claw	may I be reduced in rank

e ne te donne pas la montre à cette condition! Les camarades sont témoins[×]; et je ne puis m'en dédire.

En parlant ainsi, il approchait toujours la montre, tant
qu'elle touchait presque la joue pâle de l'enfant. Celui-ci
montrait bien sur sa figure le combat que se livraient en [5]
son âme la convoitise° et le respect dû à l'hospitalité. Sa
poitrine nue se soulevait avec force, et il semblait près
d'étouffer. Cependant la montre oscillait, tournait, et quelquefois lui heurtait le bout du nez. Enfin, peu à peu, sa
main droite s'éleva vers la montre: le bout de ses doigts la [10]
toucha; et elle pesait tout entière dans sa main sans que
l'adjudant lachât pourtant le bout de la chaîne ... Le ca-
dran° était azurée ... la boîte° nouvellement fourbie° ... ,
au soleil, elle paraissait toute de feu ... La tentation était
trop forte. [15]

Fortunato éleva aussi sa main gauche, et indiqua du
pouce° par-dessus son épaule, le tas de foin auquel il était
adossé.° L'adjudant le comprit aussitôt. Il abandonna l'ex-
tremité de la chaîne; Fortunato se sentit seul possesseur de
la montre. Il se leva avec l'agilité d'un daim,° et s'éloigna [20]
de dix pas du tas de foin, que les voltigeurs se mirent aussitôt à culbuter.°

On ne tarda pas à voir le foin s'agiter; et un homme sanglant,[×] le poignard à la main, en sortit; mais, comme il es-
sayait de se lever en pied,° sa blessure refroidie[×] ne lui [25]
permit plus de se tenir debout. Il tomba. L'adjudant se jeta
sur lui et lui arracha son stylet. Aussitôt on le garrotta°
fortement, malgré sa résistance.

convoitise covetousness	**adossé** leaning back
cadran (watch) face	**daim** deer
boîte box, (watch) case	**culbuter** to turn upside down
fourbir to polish	**en pied** on his feet
pouce thumb	**garrotter** to pinion

Gianetto, couché par terre et lié comme un fagot, tourna la tête vers Fortunato qui s'était rapproché.

L'enfant lui jeta la pièce d'argent, qu'il avait reçue, sentant qu'il avait cessé de la mériter; mais le proscrit° n'eut
5 pas l'air de faire attention à ce mouvement. Il dit avec beaucoup de sang-froid à l'adjudant:

— Mon cher Gamba, je ne puis marcher; vous allez être obligé de me porter à la ville.

— Tu courais tout à l'heure plus vite qu'un chevreuil,°
10 repartit le cruel vainqueur; mais sois tranquille: je suis si content de te tenir, que je te porterais une lieue° sur mon dos sans être fatigué. Au reste, mon camarade, nous allons te faire une litière avec des branches et ta capote°; et à la ferme de Crespoli nous trouverons des chevaux.

15 — Bien, dit le prisonnier; vous mettrez aussi un peu de paille sur votre litière, pour que je sois plus commodément.

Pendant que les voltigeurs s'occupaient, les uns à faire une espèce de brancard° avec des branches de châtaignier,°
20 les autres à panser° la blessure de Gianetto, Mateo Falcone et sa femme parurent tout à coup au détour° d'un sentier qui conduisait au maquis. La femme s'avançait courbée° péniblement sous le poids d'un énorme sac de châtaignes, tandis que son mari se prélassait,° ne portant qu'un fusil
25 à la main et un autre en bandoulière°; car il est indigne ˣ d'un homme de porter d'autre fardeau° que ses armes.

proscrit outlaw	**détour** turn
chevreuil roebuck	**courber** to bend over
lieue league	**se prélasser** to stroll along
capote cloak	**en bandoulière** slung over one's
brancard stretcher	shoulder
châtaignier chestnut tree	**fardeau** burden
panser to dress	

A la vue des soldats, la première pensée de Mateo fut qu'ils venaient pour l'arrêter. Mais pourquoi cette idée? Mateo avait-il donc quelques démêlés avec la justice? Non. Il jouissait d'une bonne réputation. C'était, comme on dit, un particulier bien famé°; mais il était Corse et monta- 5 gnard, et il y a peu de Corses montagnards qui, en scrutant ˣ bien leur mémoire, n'y trouvent quelque peccadille, telle que coups de fusil, coups de stylet et autres bagatelles.° Ma- teo, plus qu'un autre, avait la conscience nette; car depuis plus de dix ans il n'avait dirigé son fusil contre un homme; 10 mais toutefois il était prudent, et il se mit en posture de faire une belle défense, s'il en était besoin.

— Femme, dit-il à Giuseppa, mets bas ton sac et tiens-toi prête.

Elle obéit sur-le-champ. Il lui donna le fusil qu'il avait en 15 bandoulière et qui aurait pu le gêner. Il arma ˣ celui qu'il avait à la main, et il s'avança lentement vers sa maison, longeant les arbres qui bordaient le chemin, et prêt, à la moindre démonstration hostile, à se jeter derrière le plus gros tronc, d'où il aurait pu faire feu° à couvert. Sa femme 20 marchait sur ses talons,ˣ tenant son fusil de rechange° et sa giberne.° L'emploi d'une bonne ménagère, en cas de com- bat, est de charger° les armes de son mari.

D'un autre côté, l'adjudant était fort en peine en voyant Mateo s'avancer ainsi, à pas comptés, le fusil en avant et le 25 doigt sur la détente.°

— Si par hasard, pensa-t-il, Mateo se trouvait parent de Gianetto, ou s'il était son ami, et qu'il voulût le défendre,

---

un particulier bien famé an in-
    dividual with a good reputation
bagatelle trifle
faire feu to fire

de rechange spare
giberne cartridge box
charger to load
détente trigger

les bourres ° de ses deux fusils arriveraient à deux d'entre
nous, aussi sûr qu'une lettre à la poste, et s'il me visait,˟
nonobstant° la parenté! ...

Dans cette perplexité, il prit un parti fort courageux, ce
5 fut de s'avancer seul vers Mateo pour lui conter l'affaire, en
l'abordant comme une vieille connaissance; mais le court
intervalle qui le séparait de Mateo lui parut terriblement
long.

— Holà! eh! mon vieux camarade, criait-il, comment
10 cela va-t-il, mon brave? C'est moi, je suis Gamba, ton cousin.

Mateo, sans répondre un mot, s'était arrêté, et, à mesure
que l'autre parlait, il relevait doucement le canon ˟ de son
fusil, de sorte qu'il était dirigé vers le ciel au moment où
15 l'adjudant le joignit.

— Bonjour, frère, dit l'adjudant en lui tendant la main.
Il y a bien longtemps que je ne t'ai vu.

— Bonjour, frère.

— J'étais venu pour te dire bonjour en passant, et à
20 ma cousine Pépa. Nous avons fait une longue traite° aujourd'hui; mais il ne faut pas plaindre notre fatigue, car
nous avons fait une fameuse prise.˟ Nous venons d'em-
poigner° Gianetto Sanpiero.

— Dieu soit loué°! s'écria Giuseppa. Il nous a volé une
25 chèvre laitière° la semaine passée.

Ces mots réjouirent Gamba.

— Pauvre diable! dit Mateo, il avait faim.

— Le drôle s'est défendu comme un lion, poursuivit l'ad-

---

bourre wadding, charge
nonobstant notwithstanding
traite journey

empoigner to take into custody
louer to praise
chèvre laitière milch-goat

judant un peu mortifié; il m'a tué un de mes voltigeurs, et,
non content de cela, il a cassé le bras au caporal Chardon;
mais il n'y pas grand mal, ce n'était qu'un Français.[5] ... Ensuite, il s'était si bien caché, que le diable ne l'aurait pu découvrir. Sans mon petit cousin Fortunato, je ne l'aurais 5
jamais pu trouver.

— Fortunato! s'écria Mateo.

— Fortunato! répéta Giuseppa.

— Oui, le Gianetto s'était caché sous ce tas de foin là-bas;
mais mon petit cousin m'a montré la malice.ˣ Aussi je le 10
dirai à son oncle le caporal, afin qu'il lui envoie un beau
cadeau° pour sa peine. Et son nom et le tien seront dans le
rapport que j'enverrai à M. l'avocat général.

— Malédiction! dit tout bas Mateo.

Ils avaient rejoint le détachement. Gianetto était déjà 15
couché sur la litière et prêt à partir. Quand il vit Mateo en
la compagnie de Gamba, il sourit d'un sourire étrange;
puis, se tournant vers la porte de la maison, il cracha° sur
le seuil ˣ en disant:

— Maison d'un traître!   20

Il n'y avait qu'un homme décidé à mourir qui eût osé
prononcer le mot de traître en l'appliquant à Falcone. Un
bon coup de stylet, qui n'aurait pas eu besoin d'être répété,
aurait immédiatement payé l'insulte. Cependant Mateo ne
fit pas d'autre geste que celui de porter sa main à son front 25
comme un homme accablé.°

Fortunato était entré dans la maison en voyant arriver
son père. Il reparut bientôt avec une jatte° de lait, qu'il présenta les yeux baissés à Gianetto.

cadeau present	**accablé** crushed
cracher to spit	**jatte** bowl

—Loin de moi! lui cria le proscrit d'une voix foudro-
yante.°

Puis, se tournant vers un des voltigeurs:

— Camarade, donne-moi à boire, dit-il.

5 Le soldat remit sa gourde entre ses mains, et le bandit
but l'eau que lui donnait un homme avec lequel il venait
d'échanger des coups de fusil. Ensuite il demanda qu'on
lui attachât les mains de manière qu'il les eût croisées sur
sa poitrine, au lieu de les avoir liées derrière le dos.

10 — J'aime, disait-il, à être couché à mon aise.

On s'empressa de le satisfaire, puis l'adjudant donna le
signal du départ, dit adieu à Mateo, qui ne lui répondit
pas, et descendit au pas accéléré vers la plaine.

Il se passa près de dix minutes avant que Mateo ouvrît
15 la bouche. L'enfant regardait d'un œil inquiet tantôt sa
mère et tantôt son père, qui, s'appuyant sur son fusil, le
considérait avec une expression de colère concentrée.

—Tu commences bien! dit enfin Mateo d'une voix
calme, mais effrayante pour qui connaissait l'homme.

20 — Mon père! s'écria l'enfant en s'avançant les larmes
aux yeux comme pour se jeter à ses genoux.

Mais Mateo lui cria:

— Arrière de moi!

Et l'enfant s'arrêta et sanglota,° immobile, à quelques
25 pas de son père.

Giuseppa s'approcha. Elle venait d'apercevoir la chaîne
de la montre, dont un bout sortait de la chemise° de Fortunato.

— Qui t'a donné cette montre? demanda-t-elle d'un ton
sévère.

---

foudroyant thundering   **chemise** shirt
sangloter to sob

— Mon cousin l'adjudant.

Falcone saisit la montre, et, la jetant avec force contre une pierre, il la mit en mille pièces.

— Femme, dit-il, cet enfant est le premier de sa race qui ait fait une trahison.ˣ 5

Les sanglots et les hoquets° de Fortunato redoublèrent, et Falcone tenait ses yeux de lynx toujours attachés sur lui. Enfin il frappa la terre de la crosse° de son fusil, puis le rejeta sur épaule et reprit le chemin du maquis en criant à Fortunato de le suivre. L'enfant obéit. 10

Giuseppa courut après Mateo et lui saisit le bras.

— C'est ton fils, lui dit-elle d'une voix tremblante en attachant ses yeux noirs sur ceux de son mari, comme pour lire ce qui se passait dans son âme.

— Laisse-moi, répondit Mateo: je suis son père. 15

Giuseppa embrassa son fils et entra en pleurant dans sa cabane. Elle se jeta à genoux devant une image de la Vierge et pria avec ferveur. Cependant Falcone marcha quelques deux cents pas dans le sentier et ne s'arrêta que dans un petit ravin où il descendit. Il sonda° la terre avec la crosse 20 de son fusil et la trouva molle ˣ et facile à creuser. L'endroit lui parut convenable ° pour son dessein.ˣ

— Fortunato, va auprès de cette grosse pierre.

L'enfant fit ce qu'il lui commandait, puis il s'agenouilla.°

— Dis tes prières.ˣ 25

— Mon père, mon père, ne me tuez pas.

— Dis tes prières! répéta Mateo d'une voix terrible.

L'enfant, tout en balbutiant° et en sanglotant, récita le

---

hoquet choking noise
crosse butt
sonder to examine by sounding or knocking

convenable suitable
s'agenouiller to kneel down
balbutier to stammer

Pater et le *Credo*. Le père, d'une voix forte, répondait *Amen!* à la fin de chaque prière.

— Sont-ce là toutes les prières que tu sais?

— Mon père, je sais encore l'*Ave Maria* et la litanie que
5 ma tante° m'a apprise.

— Elle est bien longue, n'importe.

L'enfant acheva la litanie d'une voix éteinte.

— As-tu fini?

— Oh! mon père, grâce°! pardonnez-moi! Je ne le ferai
10 plus! Je prierai tant mon cousin le caporal qu'on fera grâce°
au Gianetto!

Il parlait encore; Mateo avait armé son fusil et le couchait
en joue° en lui disant:

— Que Dieu te pardonne!

15 L'enfant fit un effort désespéré × pour se relever et embrasser les genoux de son père; mais il n'en eut pas le temps.
Mateo fit feu, et Fortunato tomba raide° mort.

Sans jeter un coup d'œil sur le cadavre, Mateo reprit le
chemin de sa maison pour aller chercher une bêche° afin
20 d'enterrer° son fils. Il avait fait à peine quelques pas qu'il
rencontra Giuseppa, qui accourait alarmée du coup de feu.°

— Qu'as-tu fait? s'écria-t-elle.

— Justice.

— Où est-il?

25 — Dans le ravin. Je vais l'enterrer. Il est mort en chrétien;
je lui° ferai chanter une messe.° Qu'on dise à mon gendre
Tiodoro Bianchi de venir demeurer avec nous.

tante aunt	**bêche** spade
grâce! mercy!	**enterrer** to bury
faire grâce à to pardon	**coup de feu** shot
coucher en joue to aim at	**lui** for him
raide stiff, outright	**messe** mass

HONORÉ DE BALZAC

Honoré de Balzac (1799–1850) is the greatest French realistic novelist of the nineteenth century. Henry James, speaking for later novelists, called him "the master of us all." He painted for posterity a vivid, varied picture of French life of his time in the novels of his *Comédie humaine,* novels such as *Eugénie Grandet, Le Père Goriot, La Cousine Bette, César Birotteau,* etc. Balzac was a man of his time and his time was the Romantic period, hence we must not be surprised if romantic traits appear in his novels, or if some of his shorter stories are largely romantic in character. The fantastic, the weird and the supernatural interested Balzac, and one whole section of his *Comédie humaine,* entitled *Études philosophiques,* was devoted to stories of this type. *Jésus-Christ en Flandre,* first published in 1831, is one of the *Études philosophiques* and shows mainly the romantic side of Balzac, although the story also gives ample evidence of the author's realistic descriptive powers.

WORD RECOGNITION TABLE

1. *Words listed in the "2a" category of the "Basic French Vocabulary"*

allure gait	**imprimer** to print, imprint
blessure wound	**mine** bearing, appearance
brun brown	**néanmoins** nevertheless
demoiselle young lady	**noyer** to drown
désespérer to cause to despair	**nuage** cloud
doré gilded	**orage** thunderstorm, storm
durée duration	**orner** to adorn
éclatant striking	**outre** in addition to
ferme firm, hard	**paquet** package, bunch
gronder to scold, growl	**patron** skipper

poing fist
poisson fish
prière prayer
remords remorse

retentir to resound
savant learned man
sourd deaf, dull-sounding
tremper to soak

2. *Cognates not easy to recognize*

abîme abyss
bourgmestre burgomaster
couvent convent
dédaigneux disdainful
dédain disdain
expier to expiate
faucon falcon
fiévreux feverish
ingénu ingenuous
machinal machinelike
milice militia
noblesse nobility

peintre painter
peinture painting
pèlerinage pilgrimage
périr to perish
planche plank
proie prey
répit respite
reproduire to reproduce
rocher rock
teinte tint
vicier to vitiate

3. *Apparent cognates with different meanings*
(The apparent cognate is given in parentheses, the real meaning afterward.)

asile (asylum) refuge
chronique (chronic) chronicle
clerc (clerk) cleric, secretary
dévotion (devotion) external
 piety
embarcation (embarcation)
 craft
franchise (franchise) frankness

hanter (haunt) to frequent
mécréant (miscreant) unbeliever
nerveux (nervous) muscular
prestige (prestige) spell
romanesque (romanesque) romantic
vague (vague) wave

4. *Derivatives*

affaiblir (*verb prefix* + faible +
 verb ending) to weaken
attardé (tard) belated
croyance (croire) belief

déchaîner (dé dis + chaîner) to
 unchain, let loose
environner (environ + *verb ending*) to surround

grisâtre (gris + -âtre -ish) grayish

mondain (monde + *adj. ending*) worldly

orgueilleux (orgueil + *adj. ending*) proud

pierreries (pierre + *dimin. ending*) precious stones

pleur (pleurer) tear

rayonner (rayon + *verb ending*)
to radiate

tournoyer (tourner + *verb ending*) to turn around, whirl

trembloter (trembler + *verb
ending*) to flicker

Jésus-Christ en Flandre

A une époque assez indéterminée de l'histoire brabançonne,° les relations entre l'île de Cadzant [1] et les côtes de
la Flandre étaient entretenues° par une barque destinée au
passage des voyageurs. Capitale de l'île, Middelbourg, plus
5 tard si célèbre dans les annales du protestantisme,[2] comp-
tait à peine deux ou trois cents feux.° La riche Ostende
était un havre° inconnu, flanqué d'une bourgade° chétive-
ment° peuplée par quelques pêcheurs,° par de pauvres né-
gociants° et par des corsaires impunis.° Néanmoins,ˣ le
10 bourg° d'Ostende, composé d'une vingtaine de maisons et
de trois cents cabanes, chaumines° ou taudis° construits
avec des débris de navires° naufragés,° jouissait d'un gou-
verneur, d'une milice,ˣ de fourches patibulaires,° d'un couvent,ˣ d'un bourgmestre,ˣ enfin de tous les organes d'une
15 civilisation avancée. Qui régnait alors en Brabant, en Flandre, en Belgique? Sur ce point, la tradition est muette.°
Avouons-le : cette histoire se ressent° étrangement du vague,
de l'incertitude, du merveilleux que les orateurs favoris
des veillées° flamandes° se sont amusés maintes° fois à

brabançonne pertaining to Brabant
  (*province of Belgium*)
entretenir to maintain
feux households
havre harbor, port
bourgade hamlet
chétivement thinly
pêcheur fisherman
négociant merchant
impuni unpunished
bourg hamlet

chaumine thatch-roofed hut
taudis hovel
navire ship
naufragé shipwrecked
fourches patibulaires gallows
muet silent
se ressent smacks of
veillée nightwatch
flamand Flemish
maint many

répandre dans leurs gloses,° aussi diverses de poésie que contradictoires par les détails. Dite d'âge en âge, répétée de foyer en foyer par les aïeules,° par les conteurs° de jour et de nuit, cette chronique × a reçu de chaque siècle une teinte × différente. Semblable à ces monuments arrangés suivant le ₅ caprice des architectures de chaque époque, mais dont les masses noires et frustes° plaisent aux poètes, elle ferait le désespoir des commentateurs, des éplucheurs° de mots, de faits et de dates. Le narrateur y croit, comme tous les esprits superstitieux de la Flandre y ont cru, sans en être ni plus ₁₀ doctes° ni plus infirmes. Seulement, dans l'impossibilité de mettre en harmonie toutes les versions, voici le fait, dépouillé° peut-être de sa naïveté romanesque × impossible à reproduire,× mais avec ses hardiesses° que l'histoire désavoue, avec sa moralité que la religion approuve, son fan- ₁₅ tastique, fleur d'imagination, son sens caché dont peut s'accommoder° le sage. A chacun sa pâture et le soin de trier le bon grain de l'ivraie.°

La barque qui servait à passer les voyageurs de l'île de Cadzant à Ostende allait quitter le village. Avant de dé- ₂₀ tacher la chaîne de fer qui retenait sa chaloupe° à une pierre de la petite jetée° où l'on s'embarquait, le patron × donna° du cor° à plusieurs reprises, afin d'appeler les retardataires,°

---

glose elaboration, comment
aïeule grandmother
conteur story-teller
fruste worn
éplucheur hairsplitter
docte learned
dépouillé stripped
hardiesse boldness
s'accommoder to apply

A chacun … de l'ivraie Every reader must seek his own nourishment and separate the wheat from the chaff.
chaloupe large rowboat
jetée pier
donna blew
cor horn
retardataire latecomer

car ce voyage était son dernier. La nuit s'approchait, les feux
affaiblis [×] du soleil couchant° permettaient à peine d'apercevoir les côtes de Flandre et de distinguer dans l'île les passagers attardés,[×] errant° soit le long des murs en terre dont
5 les champs étaient environnés,[×] soit parmi les hauts joncs°
des marais.° La barque était pleine, un cri s'éleva:

— Qu'attendez-vous? Partons!

En ce moment, un homme apparut à quelques pas de la
jetée; le pilote, qui ne l'avait entendu ni venir ni marcher,
10 fut assez surpris de le voir. Ce voyageur semblait s'être
levé de terre tout à coup, comme un paysan qui se serait
couché dans un champ en attendant l'heure du départ et
que la trompette aurait réveillé. Était-ce un voleur° ? était-ce
quelque homme de douane° ou de police? Quand il arriva
15 sur la jetée où la barque était amarrée,° sept personnes
placées debout à l'arrière de la chaloupe s'empressèrent de
s'asseoir sur les bancs, afin de s'y trouver seules et de ne pas
laisser l'étranger se mettre avec elles. Ce fut une pensée
instinctive et rapide, une de ces pensées d'aristocrates qui
20 viennent au cœur des gens riches. Quatre de ces personnages appartenaient à la plus haute noblesse [×] des Flandres.
D'abord un jeune cavalier, accompagné de deux beaux
lévriers° et portant sur ses cheveux longs une toque ornée [×]
de pierreries,[×] faisait retentir [×] ses éperons° dorés [×] et fri-
25 sait° de temps en temps sa moustache avec impertinence,
en jetant des regards dédaigneux [×] au reste de l'équipage.°

couchant setting	**amarrée** tied up, moored
errer to wander	**lévrier** greyhound
jonc rush	**éperon** spur
marais marsh	**friser** to curl
voleur thief	**équipage** boatload
douane customs	

Une altière° demoiselle × tenait un faucon × sur son poing ×
et ne parlait qu'à sa mère ou à un ecclésiastique de haut
rang, leur parent sans doute. Ces personnes faisaient grand
bruit et conversaient ensemble comme si elles eussent été
seules dans la barque. Néanmoins, auprès d'elles se trouvait 5
un homme très important dans le pays, un gros° bourgeois
de Bruges, enveloppé dans un grand manteau. Son domestique, armé jusqu'aux dents, avait mis près de lui deux sacs
pleins d'or. A côté d'eux se trouvait encore un homme de
science, docteur à l'université de Louvain, flanqué° de son 10
clerc.× Ces gens qui se méprisaient° les uns les autres, étaient
séparés de l'avant par le banc des rameurs.°

Lorsque le passager en retard mit le pied dans la barque,
il jeta un regard rapide sur l'arrière, n'y vit pas de place, et
alla en demander une à ceux qui se trouvaient sur l'avant 15
du bateau. Ceux-là étaient de pauvres gens. A l'aspect d'un
homme à la tête nue, dont l'habit et le haut-de-chausses° en
camelot° brun,× dont le rabat° en toile de lin° empesé,°
n'avaient aucun ornement, qui ne tenait à la main ni toque
ni chapeau, sans bourse° ni épée° à la ceinture,° tous le 20
prirent pour un bourgmestre sûr de son autorité, bourgmestre bon homme et doux comme quelques-uns de ces vieux
Flamands dont la nature et le caractère ingénus × nous ont
été si bien conservés par les peintres × du pays. Les pauvres
passagers accueillirent alors l'inconnu par des démonstra- 25

altier haughty	**rabat** neckband
gros big and important	**toile de lin** linen
flanqué accompanied by	**empesé** starched
se mépriser to scorn	**bourse** purse
rameur oarsman	**épée** sword
haut-de-chausses long hose	**ceinture** belt
camelot camlet (*coarse cloth*)	

tions respectueuses qui excitèrent des railleries chuchotées°
entre les gens de l'arrière. Un vieux soldat, homme de peine
et de fatigue, donna sa place sur le banc à l'étranger, s'assit
au bord de la barque, et s'y maintint en équilibre par la
5 manière dont il appuya ses pieds contre une de ces tra-
verses° de bois qui, semblables aux arêtes° d'un poisson,ˣ
servent à lier les planches ˣ des bateaux. Une jeune femme,
mère d'un petit enfant, et qui paraissait appartenir à la
classe ouvrière d'Ostende, se recula pour faire assez de place
10 au nouveau venu. Ce mouvement n'accusa° ni servilité ni
dédain,ˣ ce fut un de ces témoignages° d'obligeance par
lesquels les pauvres gens, habitués° à connaître le prix d'un
service et les délices de la fraternité, révèlent la franchise ˣ
et le naturel de leurs âmes, si naïves dans l'expression de
15 leurs qualités et de leurs défauts; aussi l'étranger les re-
mercia-t-il par un geste plein de noblesse. Puis il s'assit entre cette jeune mère et le vieux soldat. Derrière lui se trouvaient un paysan et son fils, âgé de dix ans. Une pauvresse°
ayant un bissac° presque vide, vieille et ridée,° en haillons,°
20 type de malheur et d'insouciance,° gisait° sur le bec° de la
barque, accroupie° dans un gros paquet ˣ de cordages.° Un
des rameurs, vieux marinier, qui l'avait connue belle et
riche, l'avait fait entrer, suivant l'admirable dicton° du
peuple: pour l'amour de Dieu.

chuchoter to whisper	**ridé** wrinkled
traverse crosspiece	**haillons** rags
arête bone (*of a fish*)	**insouciance** listlessness
accuser indicate	**gisait** was lying
témoignage evidence	**bec** prow
habitué accustomed	**accroupi** crouched
pauvresse beggar woman	**cordages** ropes
bissac wallet	**dicton** saying

— Grand merci, Thomas, avait dit la vieille; je dirai pour toi ce soir deux *Pater* et deux *Ave* dans ma prière.ˣ

Le patron donna du cor une dernière fois, regarda la campagne muette, jeta la chaîne dans son bateau, courut le long du bord jusqu'au gouvernail,° en prit la barre,° resta 5 debout; puis, après avoir contemplé le ciel, il dit d'une voix forte à ses rameurs, quand ils furent en pleine mer:

— Ramez,° ramez fort, et dépêchons°! La mer sourit à un mauvais grain, la sorcière°! Je sens la houle° au mouvement du gouvernail, et l'orage ˣ à mes blessures.ˣ 10

Ces paroles, dites en termes de marine, espèce de langue intelligible seulement pour des oreilles accoutumées au bruit des flots,° imprimèrent ˣ aux rames° un mouvement précipité,° mais toujours cadencé; mouvement unanime, différent de la manière de ramer précédente, comme le trot 15 d'un cheval l'est de son galop. Le beau monde° assis à l'arrière prit plaisir à voir tous ces bras nerveux,ˣ ces visages bruns aux yeux de feu, ces muscles tendus et ces différentes forces humaines agissant de concert pour leur faire traverser le détroit° moyennant° un faible péage.° Loin de déplorer 20 cette misère, ces gens se montrèrent° les rameurs en riant des expressions grotesques que la manœuvre imprimait à leurs physionomies tourmentées. A l'avant, le soldat, le paysan et la vieille contemplaient les mariniers avec cette

gouvernail rudder	**rame** oar
barre helm	**précipité** hurried
ramer to row	**beau monde** fine society
dépêcher to hurry	**détroit** strait
la mer ... la sorcière! the wicked sea is preparing a nasty squall!	**moyennant** in consideration of
	péage fee
houle swell	**se montrer** to point out to each other
flot wave	

espèce de compassion naturelle aux gens qui, vivant de labeur, connaissent les rudes angoisses et les fiévreuses [×] fa-
tigues du travail. Puis, habitués à la vie en plein air, tous
avaient compris, à l'aspect du ciel, le danger qui les mena-
5 çait, tous étaient donc sérieux. La jeune mère berçait° son
enfant, en lui chantant une vieille hymne d'église pour l'endormir.

— Si nous arrivons, dit le soldat au paysan, le bon Dieu
aura mis de l'entêtement° à nous laisser en vie.

10 — Ah! il est le maître, répliqua la vieille; mais je crois
que son bon plaisir° est de nous appeler près de lui. Voyez
là-bas cette lumière! ...

Et, par un geste de tête, elle montrait le couchant, où des
bandes de feu tranchaient° vivement sur des nuages [×] bruns
15 nuancés de rouge qui semblaient bien près de déchaîner [×]
quelque vent furieux. La mer faisait entendre un murmure
sourd,[×] une espèce de mugissement° intérieur, assez semblable à la voix d'un chien quand il ne fait que° gronder.[×]
Après tout, Ostende n'était pas loin. En ce moment, le ciel
20 et la mer offraient un de ces spectacles auxquels il est peut-
être impossible à la peinture,[×] comme à la poésie, de donner
plus de durée [×] qu'ils n'en ont réellement. Les créations humaines veulent des contrastes puissants. Aussi les artistes
demandent-ils ordinairement à la nature ses phénomènes
25 les plus brillants, désespérant [×] sans doute de rendre la
grande et belle poésie de son allure [×] ordinaire, quoique
l'âme humaine soit souvent aussi profondément remuée
dans le calme que dans le mouvement, et par le silence au-

---

bercer to rock to sleep
aura mis de l'entêtement will have insisted stubbornly
bon plaisir will (*of God or a king*)

trancher to cut across
mugissement bellowing
ne fait que does nothing but

tant que par la tempête. Il y eut un moment où, sur la barque, chacun se tut et contempla la mer et le ciel, soit par pressentiment, soit pour obéir à cette mélancolie religieuse qui nous saisit presque tous à l'heure de la prière, à la chute du jour, à l'instant où la nature se tait, où les cloches° par- 5 lent. La mer jetait une lueur° blanche et blafarde,° mais changeante et semblable aux couleurs de l'acier.° Le ciel était généralement grisâtre.× A l'ouest, de longs espaces étroits simulaient des flots de sang, tandis qu'à l'orient des lignes étincelantes° marquées comme par un pinceau° fin, 10 étaient séparées par des nuages plissés° comme des rides° sur le front d'un vieillard.° Ainsi, la mer et le ciel offraient partout un fond terne,° tout en demi-teintes, qui faisait ressortir° les feux sinistres du couchant. Cette physionomie de la nature inspirait un sentiment terrible. S'il était permis 15 de glisser les audacieux tropes° du peuple dans la langue écrite, on répéterait ce que disait le soldat, que le temps était en déroute,° ou, ce que lui répondit le paysan, que le ciel avait la mine× d'un bourreau.° Le vent s'éleva tout à coup vers le couchant, et le patron, qui ne cessait de consulter la 20 mer, la voyant s'enfler° à l'horizon, s'écria:

— Hau°! hau!

A ce cri, les matelots° s'arrêtèrent aussitôt et laissèrent nager° leurs rames.

cloche bell	**terne** dull
lueur gleam	**ressortir** to bring out
blafard wan	**trope** figure of speech
acier steel	**en déroute** put to rout
étinceler to sparkle	**bourreau** executioner
pinceau paintbrush	**s'enfler** to swell up
plissé pleated	**hau!** stop!
ride wrinkle	**matelot** sailor
vieillard old man	**nager** to swim, float

— Le patron a raison, dit froidement Thomas quand la barque, portée en haut d'une énorme vague,× redescendit comme au fond de la mer entr'ouverte.°

A ce mouvement extraordinaire, à cette colère soudaine
5 de l'Océan, les gens de l'arrière devinrent blêmes° et jetèrent un cri terrible:

— Nous périssons ×!

—Oh! pas encore, leur répondit tranquillement le patron.

10 En ce moment, les nuées° se déchirèrent sous l'effort du vent, précisément au-dessus de la barque. Les masses grises s'étant s'étalées° avec une sinistre promptitude à l'orient et au couchant, la lueur du crépuscule° y tomba d'aplomb° par une crevasse due au vent d'orage, et permit d'y voir les
15 visages. Les passagers, nobles ou riches, mariniers ou pauvres, restèrent un moment surpris à l'aspect du dernier venu. Ses cheveux d'or, partagés en deux bandeaux° sur son front tranquille et serein, retombaient en boucles° nombreuses sur ses épaules, en découpant° sur la grise atmo-
20 sphère une figure sublime de douceur et où rayonnait ×
l'amour divin. Il ne méprisait pas la mort, il était certain de ne pas périr. Mais, si d'abord les gens de l'arrière oublièrent un instant la tempête dont l'implacable fureur les menaçait, ils revinrent bientôt à leurs sentiments d'égoïsme et
25 aux habitudes de leur vie.

— Est-il heureux, ce stupide bourgmestre, de ne pas s'apercevoir du danger que nous courons tous! Il est là

---

entr'ouvert half open
blême pale
nuée cloud
s'étaler to spread out
crépuscule twilight

d'aplomb straight down
bandeau division
boucle curl
découper to cause to stand out

comme un chien, et mourra sans agonie, dit le docteur.

A peine avait-il prononcé cette phrase assez judicieuse, que la tempête déchaîna ses légions. Les vents soufflèrent de tous les côtés, la barque tournoya[×] comme une toupie,° et la mer y entra ...   5

— Oh! mon pauvre enfant! mon pauvre enfant! ... Qui sauvera mon enfant? s'écria la mère d'une voix déchirante.

— Vous-même, répondit l'étranger.

Le timbre° de cet organe° pénétra le cœur de la jeune femme, il y mit un espoir; elle entendit cette suave parole 10 malgré les sifflements° de l'orage, malgré les cris poussés par les passagers.

— Sainte Vierge de Bon-Secours, qui êtes à Anvers,° je vous promets mille livres de cire° et une statue, si vous me tirez de là! s'écria le bourgeois à genoux sur ses sacs d'or.   15

— La Vierge n'est pas plus à Anvers qu'ici, lui répondit le docteur.

— Elle est dans le ciel, répliqua une voix qui semblait sortir de la mer.

— Qui donc a parlé?   20

— C'est le diable! s'écria le domestique, il se moque de la Vierge d'Anvers.

— Laissez°-moi donc là° votre sainte Vierge, dit le patron aux passagers. Empoignez°-moi les écopes° et videz°-moi l'eau de la barque. Et vous autres, reprit-il en s'adres- 25 sant aux matelots, ramez ferme[×]! Nous avons un moment

---

toupie top
timbre quality (*of a sound*)
organe voice
sifflement whistling
Anvers Antwerp
cire wax

laisser là to leave alone
empoigner to seize hold of
écope bailing scoop
vider to empty (*do not translate*
    moi after empoignez and videz*)

de répit,ˣ au nom du diable qui vous laisse en ce monde,
soyons nous-mêmes notre providence ... Ce petit canal° est
furieusement dangereux, on le sait, voilà trente ans que je
le traverse. Est-ce de ce soir° que je me bats avec la tem-
5 pête?

Puis, debout à son gouvernail, le patron continua de regarder alternativement sa barque, la mer et le ciel.

— Il se moque toujours de tout, le patron, dit Thomas à
voix basse.

10 — Dieu nous laissera-t-il mourir avec ces misérables? demanda l'orgueilleuseˣ jeune fille au beau cavalier.

— Non, non, noble demoiselle. Écoutez-moi!

Il l'attira par la taille, et, lui parlant à l'oreille:

— Je sais nager, n'en dites rien! Je vous prendrai par vos
15 beaux cheveux, et vous conduirai doucement au rivage°;
mais je ne puis sauver que vous.

La demoiselle regarda sa vieille mère. La dame était à
genoux et demandait quelque absolution à l'évêque,° qui
ne l'écoutait pas. Le chevalier lut dans les yeux de sa belle
20 maîtresse un faible sentiment de piété filiale, et lui dit d'une
voix sourde:

— Soumettez-vous aux volontés de Dieu! S'il veut appeler votre mère à lui, ce sera sans doute pour son bonheur ... en l'autre monde, ajouta-t-il d'une voix encore plus
25 basse. — Et pour le nôtre en celui-ci, pensa-t-il.

La dame de Rupelmonde possédait sept fiefs, outreˣ la
baronnie de Gâvres. La demoiselle écouta la voix de sa vie,
les intérêts° de son amour parlant par la bouche du bel
aventurier, jeune mécréantˣ qui hantaitˣ les églises, où il

canal channel	**rivage** shore
est-ce de ce soir is this evening the first time	**évêque** bishop
	intérêt concern

cherchait une proie,× une fille à marier° ou de beaux deniers comptants.° L'évêque bénissait° les flots, et leur or-
donnait de se calmer en désespoir de cause.° Loin de songer
aux pouvoirs de la sainte église, et de consoler ces chrétiens
en les exhortant à se confier à Dieu, il mêlait des regrets 5
mondains × et des paroles d'amour aux saintes paroles du
bréviaire. La lueur qui éclairait ces pâles visages permit de
voir leurs diverses expressions quand la barque, enlevée
dans les airs par une vague, puis rejetée au fond de l'abîme,×
puis secouée comme une feuille frêle,° jouet° de la bise° 10
en automne, craqua dans sa coque° et parut près de se
briser. Ce fut alors des cris horribles, suivis d'affreux si-
lences. L'attitude des personnes assises à l'avant du bateau
contrasta singulièrement avec celle des gens riches ou puissants. La jeune mère serrait son enfant contre son sein 15
chaque fois que les vagues menaçaient d'engloutir° la fra-
gile embarcation; mais elle croyait à l'espérance que lui
avait jetée au cœur la parole dite par l'étranger; chaque fois,
elle tournait ses regards vers cet homme, et puisait° dans
son visage une foi nouvelle, la foi forte d'une femme faible, 20
la foi d'une mère. Vivant par la parole divine, par la parole
d'amour échappée à cet homme, la naïve créature attendait
avec confiance l'exécution de cette espèce de promesse, et
ne redoutait presque plus le péril. Cloué° sur le bord de la
chaloupe, le soldat ne cessait de contempler cet être singu- 25
lier, sur l'impassibilité duquel il modelait sa figure rude et

---

fille à marier marriageable girl
deniers comptants hard cash
bénir to bless
en désespoir de cause in despera-
　tion
frêle frail

jouet toy
bise north wind
coque hull
engloutir to engulf
puiser to imbibe
clouer to nail, attach firmly

basanée° en déployant° son intelligence et sa volonté, dont
les puissants ressorts° s'étaient peu viciés ˣ pendant le cours
d'une vie passive et machinale ˣ; jaloux° de se montrer
tranquille et calme autant que ce courage supérieur, il finit
5 par s'identifier, à son insu° peut-être, avec le principe secret
de cette puissance intérieure. Puis son admiration devint un
fanatisme instinctif, un amour sans bornes,° une croyance
en cet homme, semblable à l'enthousiasme que les soldats
ont pour leur chef, quand il est homme de pouvoir, en-
10 vironné par l'éclat des victoires, et qu'il marche au milieu
des éclatants ˣ prestiges ˣ du génie. La vieille pauvresse disait à voix basse:

— Ah! pécheresse° infâme que je suis! ai-je souffert assez
pour expier ˣ les plaisirs de ma jeunesse? Ah! pourquoi,
15 malheureuse, as-tu mené la belle vie d'une galloise,° as-tu
mangé le bien de Dieu avec des gens de l'Église, le bien des
pauvres avec les torçonniers° et maltôtiers°? Ah! j'ai eu
grand tort. O mon Dieu! mon Dieu! laissez-moi finir mon
enfer° sur cette terre de malheur.

20 Ou bien:

— Sainte Vierge, mère de Dieu, prenez pitié de moi!
— Consolez-vous, la mère; le bon Dieu n'est pas un lombard.° Quoique j'aie tué, peut-être à tort et à travers,° les
bons et les mauvais, je ne crains pas la résurrection.

25 — Ah! monsieur l'anspessade,° sont-elles heureuses, ces

basané swarthy
déployer to put into play
ressort spring
jaloux anxious
à son insu unknown to himself
borne limit
pécheresse sinner
galloise woman of easy morals

torçonnier extortioner
maltôtier publican
enfer hell
lombard usurer
à tort et à travers at random
anspessade noncommissioned officer

belles dames, d'être auprès d'un évêque, d'un saint homme!
reprit la vieille, elles auront l'absolution de leurs péchés.°
Oh! si je pouvais entendre la voix d'un prêtre me disant:
«Vos péchés seront remis,» je le croirais!

L'étranger se tourna vers elle, et son regard charitable la ⁵
fit tressaillir.°

— Ayez la foi, lui dit-il, et vous serez sauvée.

— Que Dieu vous récompense, mon bon seigneur, lui
répondit-elle. Si vous dites vrai, j'irai pour vous et pour moi
en pèlerinage ˣ à Notre-Dame de Lorette,³ pieds nus.   ¹⁰

Les deux paysans, le père et le fils, restaient silencieux,
résignés et soumis à la volonté de Dieu, en gens accoutumés
à suivre instinctivement, comme les animaux, le branle°
donné à la nature. Ainsi, d'un côté, les richesses, l'orgueil,
la science, la débauche, le crime, toute la société humaine ¹⁵
telle que le font les arts, la pensée, l'éducation, le monde et
ses lois; mais aussi, de ce côté seulement, les cris, la terreur,
mille sentiments divers combattus par des doutes affreux;
là, seulement, les angoisses de la peur. Puis, au-dessus de
ces existences, un homme puissant, le patron de la barque, ²⁰
ne doutant de rien, le chef, le roi fataliste, se faisant sa propre providence, en criant: «Sainte Écope° ! ... » et non pas:
«Sainte Vierge! ... » enfin, défiant l'orage et luttant avec
la mer corps à corps.° A l'autre bout de la nacelle,° des
faibles! ... la mère berçant dans son sein° un petit enfant qui ²⁵
souriait à l'orage; une fille, jadis joyeuse,° maintenant

---

péché sin
tressaillir to tremble
branle push
Sainte Écope Saint Bailing Scoop
  (*i.e., instead of praying he re-
  lied on material efforts*)

corps à corps hand to hand
nacelle skiff
sein bosom
fille, jadis joyeuse former prostitute

livrée à d'horribles remords ˣ; un soldat criblé° de blessures,
sans autre récompense que sa vie mutilée pour prix d'un
dévouement infatigable: il avait à peine un morceau de
pain trempé ˣ de pleurs ˣ; néanmoins, il se riait de tout et
5 marchait sans soucis, heureux quand il noyait ˣ sa gloire au
fond d'un pot de bière° ou qu'il la racontait à des enfants
qui l'admiraient; il commettait gaiement à Dieu le soin de
son avenir; enfin, deux paysans, gens de peine et de fatigue,
le travail incarné, le labeur dont vivait le monde. Ces sim-
10 ples créatures étaient insouciantes de la pensée et de ses
trésors, mais prêtes à les abîmer° dans une croyance,ˣ ayant
la foi d'autant plus° robuste, qu'elles n'avaient jamais rien
discuté ni analysé; natures vierges où la conscience était
restée pure et le sentiment puissant; le remords, le malheur,
15 l'amour, le travail, avaient exercé, purifié, concentré, dé-
cuplé° leur volonté, la seule chose qui, dans l'homme, res-
semble à ce que les savants ˣ nomment une âme.

Quand la barque, conduite par la miraculeuse adresse du
pilote, arriva presque en vue d'Ostende, à cinquante pas du
20 rivage, elle en fut repoussée par une convulsion de la tempête, et chavira° soudain. L'étranger au lumineux visage
dit alors à ce petit monde de douleur°:

— Ceux qui ont la foi seront sauvés; qu'ils me suivent!

Cet homme se leva, marcha d'un pas ferme sur les flots.
25 Aussitôt la jeune mère prit son enfant dans ses bras et
marcha près de lui sur la mer. Le soldat se dressa soudain
en disant dans son langage de naïveté:

— Ah! nom d'une pipe°! je te suivrais au diable ...

criblé pitted	**décupler** to increase tenfold
bière beer	**chavirer** to founder
abîmer to annihilate	**monde de douleur** suffering group
d'autant plus all the more	**nom d'une pipe!** by Jiminy!

Puis, sans paraître étonné, il marcha sur la mer. La vieille pécheresse, croyant à la toute-puissance de Dieu, suivit l'homme et marcha sur la mer. Les deux paysans se dirent:

— Puisqu'ils marchent sur l'eau, pourquoi ne ferions-nous pas comme eux? 5

Ils se levèrent et coururent après eux en marchant sur la mer. Thomas voulut les imiter; mais, sa foi chancelant,° il tomba plusieurs fois dans la mer, se releva; puis, après trois épreuves, il marcha sur la mer. L'audacieux pilote s'était attaché comme un rémora° sur le plancher° de sa 10 barque. L'avare° avait eu la foi et s'était levé; mais il voulut emporter son or, et son or l'emporta au fond de la mer. Se moquant du charlatan et des imbéciles qui l'écoutaient, au moment où il vit l'inconnu proposant aux passagers de marcher sur la mer, le savant se prit à rire et fut englouti par 15 l'Océan. La jeune fille fut entraînée dans l'abîme par son amant. L'évêque et la vieille dame allèrent au fond, lourds de crimes peut-être, mais plus lourds encore d'incrédulité, de confiance en de fausses images, lourds de dévotion,× légers d'aumônes° et de vraie religion. 20

La troupe fidèle qui foulait° d'un pied ferme et sec la plaine des eaux courroucées° entendait autour d'elle les horribles sifflements de la tempête. D'énormes lames° venaient se briser sur son chemin. Une force invincible coupait l'Océan. A travers le brouillard° ces fidèles aperce- 25 vaient dans le lointain, sur le rivage, une petite lumière faible qui tremblotait × par la fenêtre d'une cabane de pê-

chanceler to totter	fouler to tread
rémora remora (sucking fish)	courroucé angry
plancher bottom	lame billow
avare miser	brouillard fog
aumônes alms	

cheur. Chacun, en marchant courageusement vers cette
lueur, croyait entendre son voisin criant à travers les mu-
gissements de la mer: «Courage!» Et cependant, attentif à
son danger, personne ne disait mot. Ils atteignirent ainsi le
5 bord de la mer. Quand ils furent tous assis au foyer du
pêcheur, ils cherchèrent en vain leur guide lumineux. Assis
sur le haut d'un rocher, au bas duquel l'ouragan° jeta le
pilote attaché sur sa planche par cette force que déploient
les marins° aux prises avec° la mort, l'HOMME descendit
10 recueillit le naufragé presque brisé; puis il dit en étendant
une main secourable° sur sa tête:

— Bon pour cette fois-ci, mais n'y revenez plus, ce serait
d'un trop mauvais exemple.

Il prit le marin sur ses épaules et le porta jusqu'à la chau-
15 mière° du pêcheur. Il frappa pour le malheureux, afin
qu'on lui ouvrît la porte de ce modeste asile,ˣ puis le Sauveur
disparut. En cet endroit fut bâti, pour les marins, le couvent
de la Merci, où se vit longtemps l'empreinte° que les pieds
de Jésus-Christ avaient, dit-on, laissée sur le sable. En 1793,
20 lors de l'entrée des Français en Belgique,⁴ des moines° em-
portèrent cette précieuse relique, l'attestation de la dernière
visite que Jésus ait faite sur la terre.

ouragan hurricane	**chaumière** thatch-roofed hut
marin sailor	**empreinte** print
aux prises avec struggling with	**moine** monk
secourable helpful	

GUY DE MAUPASSANT

Guy de Maupassant (1850–1893) wrote more than 250 short stories and showed himself to be a supreme master of the genre. He was above all a realist, but he was an artistic realist and strove for perfection in the technique of his stories. His realism is often blended with satire and a grim sort of humor. The story given here contains both satire and humor. It deals with the stupidity of the bourgeoisie of Paris, a topic frequently treated by Maupassant. In the years when he was a clerk in the Naval Ministry, before the success of his writings enabled him to leave such uncongenial employment, he had observed with contempt the life of the unintelligent middle-class citizens of Paris, especially the government clerks, the petty officials and politicians. In *Le Protecteur* (1883–1884), he presents an ironic picture of this petty officialdom. The story is now included in the collection entitled *Boule de suif*.

WORD RECOGNITION TABLE

1. *Words listed in the "2a" category of the "Basic French Vocabulary"*

accrocher to hang up
allure gait
clef key
course dash
crise crisis, violent access
croix cross
ennui boredom, annoyance
enseignement teaching, lesson
fouiller to search
haine hatred

imprimer to print
se méfier to distrust, watch out for
mensonge lie
noyer to drown
orner to adorn
ramasser to pick up
ravi delighted
régner to reign
surveiller to watch over

tremper to soak
tromper to deceive

user to wear out, make use of
voûté bent

2. *Cognates not easy to recognize*

affamé famished
bond bound, leap
étudiant student
malfaiteur malefactor
négliger to neglect

obstination obstinacy
plaider to plead
pratique practical
proie prey

3. *Apparent cognates with different meanings*

(The apparent cognate is given in parentheses, the real meaning afterward.)

circulation (circulation) traffic
consommation (consummation) drink
curé (curate) priest
essai (essay) attempt
exemplaire (exemplary) copy
impérieux (imperious) pressing

indigne (indignant) unworthy
s'informer (inform) to inquire
instruction (instruction) education
ombrelle (umbrella) parasol
rumeur (rumor) rustling noise
solliciteur (solicitor) petitioner

4. *Derivatives*

appui (appuyer) support
ressortir (re again + sortir) to go out again

vendeur (vendre + *noun ending*) seller
verrerie (verre) objects made of glass

Le Protecteur

Il n'aurait jamais rêvé une fortune si haute! Fils d'un huis-
sier° de province, Jean Marin était venu, comme tant d'autres, faire son droit° au quartier latin. Dans les différentes
brasseries° qu'il avait successivement fréquentées, il était
devenu l'ami de plusieurs étudiants× bavards° qui cra- 5
chaient° de la politique en buvant des bocks.° Il s'éprit
d'admiration° pour eux et les suivit avec obstination,× de
café en café, payant même leurs consommations× quand il
avait de l'argent.

Puis il se fit avocat° et plaida× des causes° qu'il perdit. 10
Or, voilà qu'un matin, il apprit dans les feuilles° qu'un de
ses anciens camarades du quartier venait d'être nommé député.°

Il fut de nouveau son chien fidèle, l'ami qui fait les cor-
vées,° les démarches,° qu'on envoie chercher quand on a 15
besoin de lui et avec qui on ne se gêne point.° Mais il arriva par aventure parlementaire que le député devint ministre; six mois après Jean Marin était nommé conseiller
d'État.° ¹

huissier bailiff (*a man who does*
minor legal business like that of
a notary)
faire son droit to study law
brasserie large café
bavard talkative
cracher to spit, sputter
bock glass of beer
s'éprit d'admiration conceived violent admiration
avocat lawyer

cause case
feuilles papers
député deputy (*member of the*
most important French legisla-
tive body)
corvée nasty job
démarche errand
ne se gêne point makes no attempt
at hypocrisy or pretense
conseiller d'État member of the
Council of State

Il eut d'abord une crise $^\times$ d'orgueil à en perdre la tête. I
allait dans les rues pour le plaisir de se montrer comme s
on eût pu deviner sa position rien qu'à le voir. Il trouvai
moyen de dire aux marchands chez qui il entrait, aux ven
5 deurs $^\times$ de journaux, même aux cochers de fiacre,° à propo
des choses les plus insignifiantes:

— Moi qui suis conseiller d'État ...

Puis il éprouva, naturellement, comme par suite de sa
dignité, par nécessité professionnelle, par devoir d'homme
10 puissant et généreux, un impérieux $^\times$ besoin de protéger. I
offrait son appui $^\times$ à tout le monde, en toute occasion, ave
une inépuisable° générosité.

Quand il rencontrait sur les boulevards une figure de connaissance, il s'avançait d'un air ravi,$^\times$ prenait les mains, s'in
15 formait $^\times$ de la santé, puis, sans attendre les questions, dé
clarait:

— Vous savez, moi, je suis conseiller d'État et tout à votre
service. Si je puis vous être utile à quelque chose, usez $^\times$ de
moi sans vous gêner. Dans ma position, on a le bras long.°

20 Et alors il entrait dans les cafés avec l'ami rencontré pour
demander une plume, de l'encre° et une feuille de papier à
lettre ^{2} — «une seule, garçon, c'est pour écrire une lettre
de recommandation.»

Et il écrivait des lettres de recommandation, dix, vingt
25 cinquante par jour. Il en écrivait au café Américain,^{3} chez
Bignon, chez Tortoni, à la Maison Dorée, au café Riche
au Helder, au café Anglais, au Napolitain, partout, partout
Il en écrivait à tous les fonctionnaires° de la République

---

cocher de fiacre cab driver
inépuisable inexhaustible
on a le bras long our influence goes
　a long way

encre ink
fonctionnaire government em-
　ployee

depuis les juges de paix jusqu'aux ministres. Et il était heureux, tout à fait heureux.

Un matin, comme il sortait de chez lui pour se rendre au conseil d'État, la pluie se mit à tomber. Il hésita à prendre un fiacre, mais il n'en prit pas, et s'en fut° à pied, par les 5 rues.

L'averse° devenait terrible, noyait× les trottoirs,° inondait la chaussée.° M. Marin fut contraint de se réfugier sous une porte. Un vieux prêtre était déjà là, un vieux prêtre à cheveux blancs. Avant d'être conseiller d'État, M. Marin 10 n'aimait point le clergé.⁴ Maintenant il le traitait avec considération depuis qu'un cardinal l'avait consulté poliment sur une affaire difficile. La pluie tombait en inondation, forçant les deux hommes à fuir jusqu'à la loge du concierge° pour éviter les éclaboussures.° M. Marin, qui éprou- 15 vait toujours la démangeaison° de parler pour se faire valoir,° déclara :

— Voici un bien vilain° temps, monsieur l'abbé.°

Le vieux prêtre s'inclina :

— Oh! oui, monsieur, c'est bien désagréable lorsqu'on ne 20 vient à Paris que pour quelques jours.

— Ah! vous êtes de province?

— Oui, monsieur, je ne suis ici qu'en passant.

— En effet, c'est très désagréable d'avoir de la pluie pour quelques jours passés dans la capitale. Nous autres, fonc- 25 tionnaires, qui demeurons ici toute l'année, nous n'y songeons guère.

---

s'en fut went off
averse shower
trottoir sidewalk
chaussée street
loge du concierge concierge's room

éclaboussure spattering
démangeaison itching, longing
se faire valoir to appear important
vilain ugly, nasty
monsieur l'abbé father

L'abbé ne répondait pas. Il regardait la rue où l'averse tombait moins pressée.° Et soudain, prenant une résolution, il releva sa soutane° comme les femmes relèvent leurs robes pour passer les ruisseaux.°

5 M. Marin, le voyant partir, s'écria:

— Vous allez vous faire tremper,× monsieur l'abbé. Attendez encore quelques instants, ça va cesser.

Le bonhomme,° indécis, s'arrêta, puis il reprit:

— C'est que je suis très pressé. J'ai un rendez-vous urgent.

10 M. Marin semblait désolé.

— Mais vous allez être positivement traversé.° Peut-on vous demander dans quel quartier vous allez?

Le curé × paraissait hésiter, puis il prononça:

— Je vais du côté du Palais-Royal.⁵

15 — Dans ce cas, si vous le permettez, monsieur l'abbé, je vais vous offrir l'abri de mon parapluie.° Moi, je vais au conseil d'État. Je suis conseiller d'État.

Le vieux prêtre leva le nez et regarda son voisin, puis déclara:

20 — Je vous remercie beaucoup, monsieur, j'accepte avec plaisir.

Alors M. Marin prit son bras et l'entraîna. Il le dirigeait, le surveillait,× le conseillait:

— Prenez garde à ce ruisseau, monsieur l'abbé. Surtout 25 méfiez-vous × des roues° des voitures; elles vous éclaboussent° quelquefois des pieds à la tête. Faites attention aux parapluies des gens qui passent. Il n'y a rien de plus dan-

---

moins pressé less violently	**traversé** wet through
soutane cassock	**parapluie** umbrella
ruisseau gutter	**roue** wheel
bonhomme man, fellow (*pejorative or patronizing*)	**éclabousser** to splash

gereux pour les yeux que le bout des baleines.° Les femmes surtout sont insupportables; elles ne font attention à rien et vous plantent toujours en pleine figure les pointes de leurs ombrelles× ou de leurs parapluies. Et jamais elles ne se dérangent pour personne. On dirait que la ville leur ₅ appartient. Elles régnent× sur le trottoir et dans la rue. Je trouve, quant à moi, que leur éducation a été fort négligée.×

Et M. Marin se mit à rire.

Le curé ne répondait pas. Il allait, un peu voûté,× choisis- ₁₀ sant avec soin les places où il posait le pied pour ne crotter° ni sa chaussure,° ni sa soutane.

M. Marin reprit:

— C'est pour vous distraire° un peu que vous venez à Paris, sans doute. ₁₅

Le bonhomme répondit:

— Non, j'ai une affaire.

— Ah! Est-ce une affaire importante? Oserais-je vous demander de quoi il s'agit? Si je puis vous être utile, je me mets à votre disposition. ₂₀

Le curé paraissait embarrassé. Il murmura:

— Oh! c'est une petite affaire personnelle. Une petite difficulté avec ... avec mon évêque.° Cela ne vous intéresserait pas. C'est une ... une affaire d'ordre intérieur ... de ... de ... matière ecclésiastique. ₂₅

M. Marin s'empressa.

— Mais c'est justement le conseil d'État qui règle ces choses-là. Dans ce cas, usez de moi.

— Oui, monsieur, c'est aussi au conseil d'État que je vais.

---

baleine whalebone rib
crotter to dirty
chaussure shoes

se distraire to have a good time
évêque bishop

Vous êtes mille fois trop bon. J'ai à voir M. Lerepère et
M. Savon, et aussi peut-être M. Petitpas.

M. Marin s'arrêta net.

— Mais ce sont mes amis, monsieur l'abbé, mes meilleurs
5 amis, d'excellents collègues, des gens charmants. Je vais
vous recommander à tous les trois, et chaudement. Comp-
tez sur moi.

Le curé remercia, se confondit en excuses, balbutia° mille
actions de grâce.°

10 M. Marin était ravi.

— Ah! vous pouvez vous vanter° d'avoir une fière
chance, monsieur l'abbé. Vous allez voir, vous allez voir
que, grâce à moi, votre affaire ira comme sur des roulettes.°

Ils arrivaient au conseil d'État. M. Marin fit monter le
15 prêtre dans son cabinet, lui offrit un siège, l'installa devant
le feu, puis prit place lui-même devant la table, et se mit à
écrire:

«Mon cher collègue, permettez-moi de vous recommander de la façon la plus chaude un vénérable ecclésiastique
20 des plus dignes et des plus méritants, M. l'abbé ... »

Il s'interrompit et demanda:

— Votre nom, s'il vous plaît?

— L'abbé Ceinture.

M. Marin se remit à écrire:

25 «M. l'abbé Ceinture, qui a besoin de vos bons offices pour
une petite affaire dont il vous parlera.

«Je suis heureux de cette circonstance, qui me permet,
mon cher collègue ... »

---

balbutier to stammer
actions de grâce thanksgiving
vanter to boast

comme sur des roulettes as easy as
rolling off a log

Et il termina par les compliments d'usage.

Quand il eut écrit les trois lettres, il les remit à son protégé qui s'en alla après un nombre infini de protestations.

M. Marin accomplit sa besogne, rentra chez lui, passa la journée tranquillement, dormit en paix, se réveilla en- 5 chanté et se fit apporter les journaux.

Le premier qu'il ouvrit était une feuille radicale. Il lut:

«Notre clergé et nos fonctionnaires.

«Nous n'en finirons pas d'enregistrer° les méfaits° du clergé. Un certain Ceinture, convaincu° d'avoir conspiré 10 contre le gouvernement existant, accusé d'actes indignes ˣ que nous n'indiquerons même pas, soupçonné en outre d'être un ancien jésuite ⁶ métamorphosé en simple prêtre, cassé° par un évêque pour des motifs inavouables,° et appelé à Paris pour fournir des explications sur sa conduite, a 15 trouvé un ardent défenseur dans le nommé° Marin, conseiller d'État, qui n'a pas craint de donner à ce malfaiteur ˣ en soutane les lettres de recommandations les plus pressantes pour tous les fonctionnaires républicains ses collègues. 20

«Nous signalons l'attitude inqualifiable° de ce conseiller d'État à l'attention du ministre ... »

M. Marin se dressa d'un bond,ˣ s'habilla, courut chez son collègue Petitpas qui lui dit:

— Ah çà,° vous êtes fou de me recommander ce vieux 25 conspirateur.

---

enregistrer to record
méfait misdeed
convaincu convicted
cassé demoted
inavouable unmentionable

le nommé a man named
inqualifiable indescribably improper
ah çà look here (*expresses vexation*)

Et M. Marin éperdu,° bégaya°:

— Mais non ... voyez-vous ... j'ai été trompé˟ ... Il avait l'air si brave homme ... il m'a joué° ... il m'a indignement joué. Je vous en prie, faites-le condamner sévèrement, très
5 sévèrement. Je vais écrire. Dites-moi à qui il faut écrire pour le faire condamner. Je vais trouver le procureur général° et l'archevêque° de Paris, oui l'archevêque ...

Et s'asseyant brusquement devant le bureau de M. Petitpas, il écrivit:

10 «Monseigneur, j'ai l'honneur de porter à la connaissance de Votre Grandeur que je viens d'être victime des intrigues et des mensonges˟ d'un certain abbé Ceinture, qui a surpris ma bonne foi.

«Trompé par les protestations de cet ecclésiastique, j'ai
15 pu ... ...»

Puis, quand il eut signé et cacheté° sa lettre, il se tourna vers son collègue et déclara:

Voyez-vous, mon cher ami, que cela vous soit un enseignement,˟ ne recommandez jamais personne.

éperdu distracted
bégayer to stutter
joué deceived

procureur général attorney general
archevêque archbishop
cacheter to seal

Choix de poésies lyriques faciles

WORD RECOGNITION TABLE

1. *Cognates not easy to recognize*

abîme abyss
ancre anchor
bec beak
bravoure bravery
chérir to cherish
coupe cup
dédaigneux disdainful
dédain disdain
esquif skiff
flatteur flatterer

hôte host
marbre marble
morne mournful
portail portal
proie prey
propice propitious
radieux radiant
roche rock
rocher rock

2. *Apparent cognates with different meanings*
(The apparent cognate is given in parentheses, the real meaning afterward.)

cendre (cinder) ashes
dissiper (dissipate) to drive away
embaumé (embalmed) balmy

labour (labor) plowed field
rumeur (rumor) rustling noise
volupté (voluptuousness) pleasure

3. *Derivatives*

amertume (amer bitter + *noun ending*) bitterness
inaperçu (in un + aperçu) unnoticed

oubli (oublier) oblivion
rajeunir (re + jeune + *verb ending*) to rejuvenate, make young again

rouvrir (re + ouvrir) to reopen

sanglant (sang + *adj. ending*) bloody

sommeiller (sommeil + *verb ending*) to doze

songe (songer) dream

soupirer (soupir + *verb ending*) to sigh

Note on translating poetry: The student will experience little difficulty in handling French poetic language. The word order of French poetry is usually the same as that of prose. Occasionally, particularly in poetry written before the latter part of the nineteenth century, inversions will be found, as they are in English poetry. These usually consist of the placing of a prepositional phrase before the noun it depends on rather than after: for example, "Des palais romains le front audacieux" instead of "Le front audacieux des palais romains." In order to help the student recognize inversions, all those found in the poems given in this text are indicated by asterisks preceding and following the inverted phrase or sentence.

JOACHIM DU BELLAY

Joachim du Bellay (1522–1560), a poet of the French Renaissance, was a member of the group known as the "Pléiade." He is renowned particularly for his sonnets. He spent several years (1553–1557) in Rome in the French diplomatic service, and this, his most famous sonnet, expresses his homesickness for his native land.

Regrets

Heureux qui comme Ulysse, a fait un beau voyage,
Ou comme celui-là qui conquit la toison,° [1]
Et puis s'est retourné, plein d'usage° et raison,
Vivre entre ses parents le reste de son âge!

Quand reverrai-je, hélas! *de mon petit village   5
Fumer° la cheminée*? et en quelle saison
Reverrai-je le clos° de ma pauvre maison,
Qui m'est une province, et beaucoup davantage?

Plus me plaît le séjour° qu'ont bâti mes aïeux,°
Que *des palais romains le front audacieux*:   10
Plus que le marbre ˣ dur me plaît l'ardoise° fine,

Plus mon Loire gaulois° que le Tibre latin,
Plus mon petit Liré [2] que le mont Palatin,
Et plus que l'air marin° la douceur angevine.°

toison Golden Fleece	**ardoise** slate
usage experience	**gaulois** Gallic, French
fumer to smoke	**air marin** sea air
clos garden	**douceur angevine** mild climate of
séjour abode	Anjou
aïeux ancestors	

PIERRE DE RONSARD

Pierre de Ronsard (1524–1585), the most famous poet of the French Renaissance, was leader of the Pléiade and court poet of France in the third quarter of the sixteenth century. The sonnet given here was one of a group written when, in middle age, Ronsard fell in love with a beautiful lady-in-waiting of the court of Catherine de Médicis.

Sonnet à Hélène

Quand vous serez bien vieille, au soir, à la chandelle,°
Assise auprès du feu, dévidant° et filant,°
Direz,° chantant mes vers, en vous émerveillant°:
«Ronsard me célébrait du temps que j'étais belle.»

Lors° vous n'aurez servante oyant° telle nouvelle,   5
Déjà sous le labeur à demi sommeillant,ˣ
Qui au bruit de mon nom ne s'aille réveillant,
Bénissant° votre nom de louange° immortelle.

Je serai sous la terre, et fantôme sans os,°
Par les ombres myrteux° je prendrai mon repos;   10
Vous serez au foyer une vieille accroupie,°

à la chandelle by candlelight	bénir to bless
dévidant winding	louange praise
filant spinning	os bone
direz *supply* vous	par les ombres myrteux in the shade of the myrtles
s'émerveiller to marvel	
lors = alors	accroupie stooped
oyant hearing	

Regrettant mon amour et votre fier dédain.[x]
Vivez, si m'en croyez, n'attendez à demain;
Cueillez dès aujourd'hui les roses de la vie.

JEAN DE LA FONTAINE

Jean de La Fontaine (1621–1695) showed that great poetry, great literature, could be written in the humble genre of fables. His *Fables,* written in the last twenty-five years of his life, are, as he called them, "une ample comédie en cent actes divers." The two given here, the first two of the collection (published 1668), are known by heart by every French schoolboy.

La Cigale° et la Fourmi°

La cigale, ayant chanté
  Tout l'été,
Se trouva fort dépourvue°
Quand la bise° fut venue:
Pas un seul petit morceau   5
De mouche° ou de vermisseau.°
Elle alla crier famine
Chez la fourmi sa voisine,
La priant de lui prêter
Quelque grain pour subsister   10
Jusqu'à la saison nouvelle.°
Je vous paierai, lui dit-elle,

cigale cicada, locust
fourmi ant
dépourvu deprived of everything
bise north wind

mouche fly
vermisseau worm
saison nouvelle spring

Avant l'août, foi d'animal,
Intérêt et principal.
La fourmi n'est pas prêteuse° :   15
C'est là son moindre défaut.
Que faisiez-vous au temps chaud?
Dit-elle à cette emprunteuse.°
— Nuit et jour à tout venant°
Je chantais, ne vous déplaise.°   20
— Vous chantiez? j'en suis fort aise:
Eh bien! dansez maintenant.

Le Corbeau° et le Renard°

Maître° Corbeau, sur un arbre perché,
　　Tenait en son bec× un fromage.°
Maître Renard, par l'odeur alléché,°
　　Lui tint à peu près ce langage:
　　Hé! bonjour, Monsieur du Corbeau,°   5
Que vous êtes joli! que vous me semblez beau!
　　Sans mentir,° si votre ramage°
　　Se rapporte° à votre plumage,
Vous êtes le phénix° des hôtes× de ce bois.
A ces mots le Corbeau ne se sent pas° de joie;   10
　　Et, pour montrer sa belle voix,

prêteuse accustomed to lend
emprunteuse borrower
à tout venant as my fancy dictated
ne vous déplaise may it not offend
　you
corbeau raven
renard fox
maître master
fromage cheese

alléché attracted
Monsieur du Corbeau My lord
　Crow
mentir to lie
ramage song
se rapporte à is in proportion to
phénix Phœnix (*a very rare and
　remarkable mythological bird*)
ne se sent pas is beside himself

Il ouvre un large bec, laisse tomber sa proie.[×]

Le Renard s'en saisit, et dit: Mon bon Monsieur,°

    Apprenez que tout flatteur [×]

  Vit aux dépens° de celui qui l'écoute.   15

Cette leçon vaut bien un fromage, sans doute.

    Le Corbeau, honteux° et confus,

Jura, mais un peu tard, qu'on ne l'y prendrait plus.

PIERRE DE BÉRANGER

Pierre de Béranger (1780–1857) was a writer of popular songs, and the one given here has become a classic. Written in 1813, it refers to the fact that the lord of Yvetot, a small town in Normandy now on the railroad between Le Havre and Paris, was called in the Middle Ages "king" of Yvetot. The amusing portrayal of a good-natured king, who had no ambition and hence did no harm, is obviously meant as a satire of Napoleon.

Le Roi d'Yvetot

    Il était un roi d'Yvetot

      Peu connu dans l'histoire,

  Se levant tard, se couchant tôt,

      Dormant fort bien sans gloire,

  Et couronné° par Jeanneton°   5

  D'un simple bonnet° de coton,

      Dit-on.

Mon bon Monsieur My good man
aux dépens at the expense of
honteux ashamed
couronné crowned

Jeanneton *the name indicates that his servant was a country girl*
bonnet nightcap

Oh! Oh! Oh! Oh! Ah! Ah! Ah! Ah!
Quel bon petit roi c'était là!
   La, la.   10

Il faisait ses quatre repas
   Dans son palais de chaume,°
Et sur un âne,° pas à pas,
   Parcourait son royaume.°
Joyeux, simple et croyant le bien,   15
Pour toute garde il n'avait rien
   Qu'un chien.
Oh! Oh! Oh! Oh! Ah! Ah! Ah! Ah!
Quel bon petit roi c'était là!
   La, la.   20

Il n'avait de goût onéreux°
   Qu'une soif° un peu vive;
Mais, en rendant son peuple heureux,
   Il faut bien qu'un roi vive.
Lui-même, à table et sans suppôt,°   25
Sur chaque muid° levait° un pot
   D'impôt.°
Oh! Oh! Oh! Oh! Ah! Ah! Ah! Ah!
Quel bon petit roi c'était là!
   La, la.   30

   *Aux filles de bonnes maisons
   Comme il avait su plaire,*

chaume thatch	suppôt aid, agent
âne ass -	muid hogshead
royaume kingdom	levait raised, levied
onéreux burdensome	impôt tax
soif thirst	

Ses sujets avaient cent raisons
  De le nommer leur père.
D'ailleurs il ne levait de ban°   35
Que pour tirer, quatre fois l'an
  Au blanc.°
Oh! Oh! Oh! Oh! Ah! Ah! Ah! Ah!
Quel bon petit roi c'était là!
  La, la.   40

Il n'agrandit point ses États,
  Fut un voisin commode,
Et, modèle des potentats,
  Prit le plaisir pour code.
Ce n'est que lorsqu'il expira   45
Que le peuple, qui l'enterra,°
  Pleura.
Oh! Oh! Oh! Oh! Ah! Ah! Ah! Ah!
Quel bon petit roi c'était là!
  La, la.   50

On conserve encore le portrait
  De ce digne et bon prince:
C'est l'enseigne° d'un cabaret
  Fameux dans la province.
Les jours de fête bien souvent,   55
La foule s'écrie en buvant
  Devant:
Oh! Oh! Oh! Oh! Ah! Ah! Ah! Ah!
Quel bon petit roi c'était là!
  La, la.   60

levait de ban called out his subjects   **enterrer** to bury
au blanc at a target   **enseigne** sign

ALPHONSE DE LAMARTINE

Alphonse de Lamartine (1790–1869) was the first of the great
Romantic poets. *Le Lac,* taken from his first volume of poems
(1820), is one of a series referring to the author's love affair
with a young woman who died a little over a year after the
poet had first met her at Aix-les-Bains, near the Lac du Bourget
in Savoy.

Le Lac

Ainsi, toujours poussés vers de nouveaux rivages,°
Dans la nuit éternelle emportés sans retour,
Ne pourrons-nous jamais sur l'océan des âges
　　　Jeter l'ancre ˣ un seul jour?

O lac! l'année à peine a fini sa carrière,°　　　　　　　5
Et près des flots° chéris ˣ qu'elle devait revoir,
Regarde! je viens seul m'asseoir sur cette pierre
　　　Où tu la vis s'asseoir!

Tu mugissais° ainsi sous ces roches ˣ profondes;
Ainsi tu te brisais sur leurs flancs déchirés;　　　　　10
Ainsi le vent jetait l'écume° de tes ondes°
　　　Sur ses pieds adorés.

rivage shore	**mugir** to bellow, **roar**
carrière course	**écume** foam
flot wave	**onde** water

Un soir, t'en souvient-il, nous voguions° en silence;
On n'entendait au loin, sur l'onde et sous les cieux,
Que le bruit des rameurs° qui frappaient en cadence   15
   Tes flots harmonieux.

Tout à coup des accents inconnus à la terre
Du rivage charmé frappèrent les échos;
Le flot fut attentif, et la voix qui m'est chère
   Laissa tomber ces mots: 20

«O temps, suspends ton vol°! et vous, heures propices,ˣ
   Suspendez votre cours!
Laissez-nous savourer les rapides délices
   Des plus beaux de nos jours!

«Assez de malheureux ici-bas vous implorent: 25
   Coulez, coulez pour eux;
Prenez avec leurs jours les soins qui les dévorent;
   Oubliez les heureux.

«Mais je demande on vain quelques moments encore,
   Le temps m'échappe et fuit;   30
Je dis à cette nuit: 'Sois plus lente'; et l'aurore°
   Va dissiper ˣ la nuit.

«Aimons donc, aimons donc! *de l'heure fugitive,
   Hâtons-nous, jouissons*!
L'homme n'a point de port, le temps n'a point de rive°;   35
   Il coule, et nous passons!»

voguer to sail, row (*actually, they were being rowed*)
rameur oarsman

vol flight
aurore dawn
rive shore

Temps jaloux, se peut-il que ces moments d'ivresse,°
Où l'amour à longs flots nous verse le bonheur,
S'envolent° loin de nous de la même vitesse
    Que les jours de malheur?   40

Hé quoi! n'en pourrons-nous fixer au moins la trace?
Quoi! passés pour jamais? quoi! tout entiers perdus?
Ce temps qui les donna, ce temps qui les efface,
    Ne nous les rendra plus?

Eternité, néant,° passé, sombres abîmes,ˣ   45
Que faites-vous des jours que vous engloutissez°?
Parlez: nous rendrez-vous ces extases sublimes
    Que vous nous ravissez?

O lac! rochers ˣ muets°! grottes! forêt obscure!
Vous que le temps épargne° ou qu'il peut rajeunir,ˣ   50
Gardez de cette nuit, gardez, belle nature,
    Au moins le souvenir!

Qu'il soit dans ton repos, qu'il soit dans tes orages,
Beau lac, et dans l'aspect de tes riants coteaux,°
Et dans ces noirs sapins,° et dans ce rocs sauvages   55
    Qui pendent sur tes eaux!

Qu'il soit dans le zéphyr qui frémit° et qui passe,
Dans les bruits de tes bords par tes bords répétés,
Dans l'astre° au front d'argent qui blanchit ta surface
    De ses molles clartés!   60

ivresse intoxication   **épargner** to spare
s'envoler to fly away   **coteau** hillside
néant nothingness   **sapin** fir
engloutir to engulf   **frémir** to tremble
muet mute, silent   **astre** heavenly body, **moon**

Que le vent qui gémit,° le roseau° qui soupire,[×]
Que les parfums légers de ton air embaumé,[×]
Que tout ce qu'on entend, l'on voit ou l'on respire,
    Tout dise: «Ils ont aimé!»

FÉLIX ARVERS

Félix Arvers (1806–1851) was a minor poet who is remembered for this famous sonnet. It is said to have been inspired by Marie Nodier, later Mme Jules Menessier, daughter of Charles Nodier, a well-known Romantic writer.

Un Secret

Mon âme a son secret, ma vie a son mystère:
Un amour éternel en un moment conçu.
Le mal est sans espoir, aussi j'ai dû le taire,
Et celle qui l'a fait n'en a jamais rien su.

Hélas! j'aurai passé près d'elle inaperçu,[×]   5
Toujours à ses côtés, et pourtant solitaire,
Et j'aurai jusqu'au bout fait mon temps sur la terre,
N'osant rien demander et n'ayant rien reçu.

Pour elle, quoique Dieu l'ait faite douce et tendre,
Elle ira son chemin, distraite,° et sans entendre   10
Ce murmure d'amour élevé sur ses pas;

A l'austère devoir pieusement fidèle,
Elle dira, lisant ces vers tout remplis d'elle:
«Quelle est donc cette femme?» et ne comprendra pas.

gémir to groan   **distraite** heedless
roseau reed

VICTOR HUGO

Victor Hugo (1802–1885) was the greatest of the Romantic poets. His work was superior in range, power of imagination and technique. The three works given are typical in that they show how, with Hugo, a scene or an impression could inspire a perfect poem. *Oceano Nox,* written in 1836, expresses the tragedy inherent in sailors' lives, and was inspired by the sight of a storm in the Channel on the occasion of Hugo's first trip to the seashore. The second poem was written later and should be compared to Millet's painting "The Sower." (There is no likelihood that one was the inspiration of the other.) *Après la bataille* appeared in a later collection (*La Légende des siècles,* 1859), which contained narrative poems dealing with various periods of history.

Oceano nox [3]

Oh! combien de marins,° combien de capitaines
Qui sont partis joyeux pour des courses lointaines,
Dans ce morne × horizon se sont évanouis°!
Combien ont disparu, dure et triste fortune!
Dans une mer sans fond, par une nuit sans lune,   5
Sous l'aveugle° océan à jamais enfouis°!

Combien de patrons morts avec leurs équipages°!
L'ouragan° *de leur vie a pris toutes les pages*
Et d'un souffle il a tout dispersé sur les flots!

marin sailor	**enfouir** to bury
s'évanouir to vanish	**équipage** crew
aveugle blind	**ouragan** hurricane

Nul ne saura leur fin dans l'abîme [×] plongée.   10
Chaque vague° en passant d'un butin° s'est chargée;
L'un a saisi l'esquif,[×] l'autre les matelots°!

Nul ne sait votre sort, pauvres têtes perdues!
Vous roulez à travers les sombres étendues,
Heurtant de vos fronts morts des écueils° inconnus.   15
Oh! que de vieux parents, qui n'avaient plus qu'un rêve,
Sont morts en attendant tous les jours sur la grève°
     Ceux qui ne sont pas revenus!

On s'entretient° de vous parfois dans les veillées.°
Maint° joyeux cercle, assis sur des ancres[×] rouillées,°   20
Mêle encor quelque temps vos noms d'ombre couverts
Aux rires, aux refrains, aux récits d'aventures,
Aux baisers° qu'on dérobe à vos belles futures,°
Tandis que vous dormez dans les goémons° verts!

On demande: — Où sont-ils? Sont-ils rois dans quelque   25
     île?
Nous ont-ils délaissés° pour un bord plus fertile? —
Puis votre souvenir même est enseveli.°
Le corps se perd dans l'eau, le nom dans la mémoire.
Le temps, qui sur toute ombre en verse une plus noire,
Sur le sombre océan jette le sombre oubli.[×]   30

vague wave	**maint** many a
butin piece of booty	**rouillé** rusty
matelot sailor	**baiser** kiss
écueil reef	**future** fiancée
grève strand	**goémon** seaweed
s'entretenir to chat	**délaisser** to abandon
veillée nightwatch	**ensevelir** to bury

Bientôt des yeux de tous votre ombre est disparue.
L'un n'a-t-il pas sa barque et l'autre sa charrue°?
Seules, durant ces nuits où l'orage est vainqueur,
Vos veuves° aux fronts blancs, lasses de vous attendre,
Parlent encor de vous en remuant la cendre [×]   35
   De leur foyer et de leur cœur!

Et quand la tombe enfin a fermé leur paupière,°
Rien ne sait plus vos noms, pas même une humble pierre
Dans l'étroit cimetière où l'écho nous répond,
Pas même un saule° vert qui s'effeuille° à l'automne,   40
Pas même la chanson° naïve et monotone
Que chante un mendiant° à l'angle d'un vieux pont!

Où sont-ils, les marins sombrés° dans les nuits noires?
O flots, que vous savez de lugubres histoires!
Flots profonds redoutés des mères à genoux!   45
Vous vous les racontez en montant les marées,°
Et c'est ce qui vous fait ces voix désespérées
Que vous avez le soir quand vous venez vers nous!

Saison des Semailles.° Le Soir

C'est le moment crépusculaire.°
J'admire, assis sous un portail,[×]
Ce reste de jour dont s'éclaire
La dernière heure du travail.

charrue plow	**mendiant** beggar
veuve widow	**sombrer** to sink
paupière eyelid	**marée** tide
saule willow	**semailles** sowing
s'effeuiller to lose leaves	**crépusculaire** twilight
chanson song	

Dans les terres, *de nuit baignées,*°   5
Je contemple, ému, les haillons°
D'un vieillard° qui jette à poignées°
La moisson° future aux sillons.°

Sa haute silhouette noire
Domine les profonds labours.×   10
On sent à quel point il doit croire
A la fuite utile des jours.

Il marche dans la plaine immense,
Va, vient, lance la graine° au loin,
Rouvre× sa main, et recommence,   15
Et je médite, obscur témoin,

Pendant que, déployant° ses voiles,°
L'ombre, où se mêle une rumeur,×
Semble élargir° jusqu'aux étoiles
Le geste auguste du semeur.°   20

Après la Bataille

Mon père [4] ! ce héros au sourire si doux,
Suivi d'un seul housard° qu'il aimait entre tous
Pour sa grande bravoure × et pour sa haute taille,
Parcourait à cheval, le soir d'une bataille,

baigner to bathe	**graine** seed
haillons rags	**déployer** to spread out
vieillard old man	**voile** veil
à poignées in handfuls	**élargir** to broaden out
moisson harvest	**semeur** sower
sillon furrow	**housard** hussar

Le champ couvert de morts sur qui tombait la nuit.   5
Il lui sembla dans l'ombre entendre un faible bruit.
C'était un espagnol° de l'armée en déroute°
Qui se traînait sanglant ˣ sur le bord de la route,
Râlant,° brisé, livide, et mort plus qu'à moitié,
Et qui disait: — A boire, à boire par pitié! —   10
Mon père, ému, tendit à son housard fidèle
Une gourde de rhum qui pendait à sa selle,°
Et dit: — Tiens, donne à boire à ce pauvre blessé. —
Tout à coup, au moment où le housard baissé
Se penchait vers lui, l'homme, une espèce de maure,°   15
Saisit un pistolet qu'il étreignait° encore,
Et vise au front mon père en criant: Caramba°!
Le coup passa si près que le chapeau tomba
Et que le cheval fit un écart° en arrière.
— Donne-lui tout de même à boire, dit mon père.   20

LECONTE DE LISLE

Charles Leconte de Lisle (1818–1894) was the leader of a group
of poets known as Parnassians, who strove for impersonality
and plastic or pictorial perfection in their works. *Midi* is a brilliant picture of noon in summer, a typical Parnassian scene. It
also, however, shows evidences of the author's pessimistic philos-
ophy.

espagnol Spaniard
en déroute routed
râlant moaning
selle saddle

maure Moor
étreindre to embrace, grip
Caramba! *Spanish oath*
écart swerve

Midi

Midi, roi des étés, épandu° sur la plaine,
Tombe en nappes° d'argent des hauteurs du ciel bleu.
Tout se tait. L'air flamboie° et brûle sans haleine°;
La terre est assoupie° en sa robe de feu.

L'étendue est immense, et les champs n'ont point d'ombre,
Et la source° est tarie° où buvaient les troupeaux°;   6
La lointaine forêt, dont la lisière° est sombre,
Dort là-bas, immobile, en un pesant repos.

Seuls, les grands blés° mûris,° tels qu'une mer dorée,
Se déroulent° au loin, dédaigneux ˣ du sommeil;   10
Pacifiques enfants de la terre sacrée,
Ils épuisent sans peur la coupe ˣ du soleil.

Parfois, comme un soupir de leur âme brûlante,
Du sein° des épis° lourds qui murmurent entre eux,
Une ondulation majestueuse et lente   15
S'éveille, et va mourir à l'horizon poudreux.°

Non loin, quelques bœufs° blancs, couchés parmi les
   herbes,
Bavent° avec lenteur sur leurs fanons° épais,

épandu spread out	**blé** wheat
nappe sheet	**mûrir** to ripen
flamboyer to flame	**se dérouler** to stretch out
haleine breath	**sein** breast, bosom
assoupi drowsy	**épis** tops or heads (*of wheat*)
source spring	**poudreux** dusty
tarir to dry up	**bœuf** ox
troupeau flock	**baver** to drool, slobber
lisière edge	**fanon** dewlap

Et suivent de leurs yeux languissants et superbes
Le songe[×] intérieur qu'ils n'achèvent jamais.   20

Homme, si, le cœur plein de joie ou d'amertume,[×]
Tu passais vers midi dans les champs radieux,[×]
Fuis! la nature est vide et le soleil consume:
Rien n'est vivant ici, rien n'est triste ou joyeux.

Mais si, désabusé° des larmes et du rire,   25
Altéré° de l'oubli[×] de ce monde agité,
Tu veux, ne sachant plus pardonner ou maudire,°
Goûter une suprême et morne volupté[×];

Viens! Le soleil te parle en paroles sublimes;
Dans sa flamme implacable absorbe-toi sans fin;   30
Et retourne à pas lents vers les cités infimes,°
Le cœur trempé sept fois dans le néant° divin.

SULLY PRUDHOMME

René-François Prudhomme, known as Sully Prudhomme
(1839–1908), whose chief ambition was to be known as a philosophical poet, is remembered above all for the early poem given
here, a poem delicate, graceful and discreetly sad.

désabusé disillusioned	**infime** contemptible
altéré thirsty	**néant** nothingness
maudire to curse	

Le Vase brisé

Le vase où meurt cette verveine°
D'un coup d'éventail° fut fêlé°;
Le coup dut effleurer° à peine:
Aucun bruit ne l'a révélé.

Mais la légère meurtrissure,°   5
Mordant° le cristal chaque jour,
D'une marche invisible et sure
En a fait lentement le tour.

Son eau fraîche a fui goutte à goutte,
Le suc° des fleurs s'est épuisé;   10
Personne encore ne s'en doute;
N'y touchez pas, il est brisé.

Souvent ainsi la main qu'on aime,
Effleurant le cœur, le meurtrit°;
Puis le cœur se fend° de lui-même,   15
La fleur de son amour périt;

Toujours intact aux yeux du monde,
Il sent croître° et pleurer tout bas
Sa blessure fine et profonde;
Il est brisé, n'y touchez pas.   20

verveine verbena	**mordre** to bite, bite into
éventail fan	**suc** juice
fêler to crack	**meurtrir** to bruise
effleurer to graze	**fendre** to split
meurtrissure bruise	**croître** to grow, increase

PAUL VERLAINE

Paul Verlaine (1844–1896), a symbolist poet, wrote at a time when poets were trying new forms and new methods. *Il pleure dans mon cœur* (from *Romances sans paroles*—"Ballads without Words," 1874) is an attempt to create a mood by musical effects: the individual words are less important than the general impression.

Il pleure dans mon cœur ...

Il pleure dans mon cœur
Comme il pleut° sur la ville,
Quelle est cette langueur
Qui pénètre mon cœur?

O bruit doux de la pluie   5
Par terre et sur les toits!
Pour un cœur qui s'ennuie°
O le chant de la pluie!

Il pleure sans raison
Dans ce cœur qui s'écœure.°   10
Quoi! nulle trahison°?
Ce deuil° est sans raison.

C'est bien la pire peine
De ne savoir pourquoi
Sans amour et sans haine,   15
Mon cœur a tant de peine!

il pleut it is raining	**trahison** treason
s'ennuyer to be bored	**deuil** grief
s'écœurer to be disheartened	

Trois Lettres familières

In France from the seventeenth century to the present letter writing has been important both as an art, a branch of literature and as a means of conveying (and, incidentally, preserving for posterity) detailed news of daily life. Among letters of the seventeenth century that have come down to us there are artificial "literary" letters, written with an eye to publication, and letters written merely as a means of giving friends and relatives information of happenings capable of interesting them. This latter type of letter is far more important nowadays. The best of the intimate and familiar letters are those of Madame de Sévigné.

Marie de Rabutin-Chantal, marquise de Sévigné (1626–1696), was left a widow at an early age and lavished all of her affection upon her children. After her daughter married and moved to the south of France, Madame de Sévigné wrote a great number of letters to her, and, in order to interest her, filled these letters with very detailed information as to what was going on in Paris and at Court. These letters show her as a keen observer who could express herself in picturesque and brisk narrative. Her account of the death of Vatel is famous. One result of it has been to make the name Vatel immortal, to make him a sort of patron saint of French cooks.

Denis Diderot (1713–1784), philosopher and editor of the famous *Encyclopédie,* is less known as a writer of letters than Madame de Sévigné. Yet his letters are of great interest and present him as he was: a man of an exceptionally fertile mind, teeming with original ideas, and above all a brilliant conversationalist. The letter given here is valuable for its portrayal of the cosmopolitan intellectual life of mid-eighteenth-century Paris; in it a German journalist who lived in Paris, a worldly Italian priest and a Frenchman discuss an esthetic problem of great interest. The anecdote given may be Galiani's (though the point made so subtly is in accord with Diderot's theories), but the vividness and the vivacity of the narration are typical of Diderot at his best.

The third letter given shows Théophile Gautier (1811–1872) in an unusual light. As a poet he is known as the champion of "art for art's sake," and he believed in keeping his own emotions out of his poetry. He does, however, express them in his letters and gives us here his picture of conditions in Paris during the Franco-Prussian War.

La Mort du Grand Vatel

Lettre de Madame de Sévigné à sa fille

A Paris, ce dimanche 26e avril (1671)

Il est dimanche 26e avril; cette lettre ne partira que mercredi; mais ceci n'est pas une lettre, c'est une relation que vient de me faire Moreuil, à votre intention,° de ce qui s'est passé à Chantilly touchant Vatel.[1] Je vous écrivis vendredi qu'il s'était poignardé°: voici l'affaire en détail. Le Roi arriva jeudi au soir; la chasse, les lanternes, le clair de lune,° la promenade, la collation dans un lieu tapissé° de jonquilles, tout cela fut à souhait.° On soupa: il y eut quelques tables où le rôti° manqua, à cause de plusieurs dîners où l'on ne s'était point attendu. Cela saisit Vatel; il dit plusieurs fois: «Je suis perdu d'honneur; voici un affront que je ne supporterai pas.» Il dit à Gourville: «La tête me tourne, il y a douze nuits que je n'ai dormi; aidez-moi à donner des ordres.» Gourville le soulagea° en ce qu'il put. Ce rôti qui avait manqué, non pas à la table du Roi, mais aux vingt-cinquièmes,° lui revenait toujours à la tête. Gourville le dit à Monsieur le Prince. Monsieur le Prince alla jusqu'à sa chambre, et lui dit: «Vatel, tout va bien, rien n'était si beau que le souper du Roi.» Il lui dit: «Monsei-

à votre intention for your benefit
se poignarder to stab oneself
clair de lune moonlight
tapissé carpeted
à souhait as well as could be desired

rôti roast
soulager to relieve
vingt-cinquièmes twenty-fifth table
(there were 60 in all)

gneur, votre bonté m'achève; je sais que le rôti a manqué à deux tables. — Point du tout, dit Monsieur le Prince, ne vous fâchez° point, tout va bien.» La nuit vient: le feu d'artifice° ne réussit pas, il fut couvert d'un nuage; il coûtait
5 seize mille francs. A quatre heures du matin, Vatel s'en va partout, il trouve tout endormi, il rencontre un petit pourvoyeur° qui lui apportait seulement deux charges° de marée°; il lui demanda: «Est-ce là tout?» Il lui dit: «Oui, monsieur.» Il ne savait pas que Vatel avait envoyé à tous
10 les ports de mer. Il attend quelque temps; les autres pourvoyeurs ne viennent point; sa tête s'échauffait,° il criait qu'il n'aura point d'autre marée; il trouve Gourville, et lui dit: «Monsieur, je ne survivrai pas à cet affront-ci; j'ai de l'honneur et de la réputation à perdre.» Gourville se moqua
15 de lui. Vatel monte à sa chambre, met son épée contre la porte, et se la passe au travers du cœur; mais ce ne fut qu'au troisième coup, car il s'en donna deux qui n'étaient pas mortels: il tombe mort. La marée cependant arrive de tous côtés; on cherche Vatel pour la distribuer; on va à sa cham-
20 bre; on heurte, on enfonce la porte; on le trouve noyé dans son sang; on court à Monsieur le Prince, qui fut au désespoir. Monsieur le Duc pleura: c'était sur Vatel que roulait° tout son voyage de Bourgogne.° Monsieur le Prince le dit au Roi fort tristement: on dit que c'était à force d'avoir de
25 l'honneur à sa manière; on le loua° fort, on loua et blama son courage. Le Roi dit qu'il y avait cinq ans qu'il retardait de venir à Chantilly, parce qu'il comprenait l'excès de cet

se fâcher to be irritated	**s'échauffer** to become excited
feu d'artifice fireworks	**roulait** depended
pourvoyeur caterer	**voyage de Bourgogne** trip to Burgundy
charge load	
marée fresh fish from the sea	**louer** to praise

embarras. Il dit à Monsieur le Prince qu'il ne devait avoir que deux tables et ne se point charger de tout le reste. Il jura qu'il ne souffrirait plus que Monsieur le Prince en usât ainsi; mais c'était trop tard pour le pauvre Vatel. Cependant Gourville tâche de réparer la perte de Vatel; elle le 5 fut: on dîna très bien, on fit collation, on soupa, on se promena, on joua, on fut à la chasse; tout était parfumé de jonquilles, tout était enchanté. Hier, qui était samedi, on fit encore de même; et le soir, le Roi alla à Liancourt, où il avait commandé un médianoche°; il y doit demeurer au- 10 jourd'hui. Voilà ce que m'a dit Moreuil, pour vous mander.° Je jette mon bonnet par-dessus le moulin,° et je ne sais rien du reste. M. d'Hacqueville, qui était à tout cela, vous fera des relations sans doute; mais comme son écriture n'est pas si lisible° que la mienne, j'écris toujours. Voilà 15 bien des détails, mais parce que je les aimerais en pareille occasion, je vous les mande.

Le rossignol° et le coucou°

Lettre de Diderot à mademoiselle Volland [1]

Du Grandval, le 20 octobre 1760

... MM. Le Roy, Grimm, l'abbé° Galiani et moi, nous avons causé. Oh! pour cette fois, je vous apprendrai à con- 20

médianoche midnight supper	lisible legible
mander to send	rossignol nightingale
je jette ... le moulin I do not know	coucou cuckoo
any more (*traditional ending of*	abbé (*as title*) father
story told to children)	

naître l'abbé, que peut-être vous n'avez regardé jusqu'à présent que comme un agréable. Il est mieux que cela.

Il s'agissait entre Grimm et M. Le Roy du génie qui crée et de la méthode qui ordonne. Grimm déteste la méthode;
5 c'est, selon lui, la pédanterie des lettres. Ceux qui ne savent qu'arranger feraient aussi bien de rester en repos; ceux qui ne peuvent être instruits° que par des choses arrangées feraient tout aussi bien de rester ignorants.

«Mais c'est la méthode qui fait valoir.

10 — Et qui gâte.°

— Sans elle, on ne profiterait de rien.

— Qu'en se fatiguant, et cela n'en serait que mieux. Où est la nécessité que tant de gens sachent autre chose que leur métier?»

15 Ils dirent beaucoup de choses que je ne vous rapporte° pas, et ils en diraient encore, si l'abbé Galiani ne les eût interrompus comme ceci:

«Mes amis, je me rappelle une fable, écoutez-la. Elle sera peut-être un peu longue, mais elle ne vous ennuiera° pas.

20 «Un jour, au fond d'une forêt, il s'éleva une contestation° sur le chant entre le rossignol et le coucou. Chacun prise° son talent. 'Quel oiseau, disait le coucou, a le chant aussi facile, aussi simple, aussi naturel et aussi mesuré que moi?'

« 'Quel oiseau, disait le rossignol, l'a plus doux, plus va-
25 rié, plus éclatant, plus léger, plus touchant que moi?'

«Le coucou: 'Je dis peu de choses; mais elles ont du poids, de l'ordre, et on les retient.'

«Le rossignol: 'J'aime à parler; mais je suis toujours

---

instruire to instruct, educate
gâter to spoil
rapporter to report

ennuyer to bore
contestation argument
priser to value highly

nouveau, et je ne fatigue jamais. J'enchante les forêts; le coucou les attriste.° Il est tellement attaché à la leçon de sa mère, qu'il n'oserait hasarder un ton qu'il n'a point pris d'elle. Moi, je ne reconnais point de maître. Je me joue° des règles. C'est surtout lorsque je les enfreins° qu'on m'ad- 5 mire. Quelle comparaison de sa fastidieuse° méthode avec mes heureux écarts°!'

«Le coucou essaya plusieurs fois d'interrompre le rossignol. Mais les rossignols chantent toujours et n'écoutent point; c'est un peu leur défaut. Le nôtre, entraîné par ses 10 idées, les suivait avec rapidité, sans se soucier° des réponses de son rival.

«Cependant, après quelques dits et contredits,° ils convinrent de s'en rapporter° au jugement d'un tiers° animal.

«Mais où trouver ce tiers également instruit et impartial 15 qui les jugera? Ce n'est pas sans peine qu'on trouve un bon juge. Ils vont en cherchant un partout.

«Ils traversaient une prairie,° lorsqu'ils y aperçurent un âne° des plus graves et des plus solennels. Depuis la création de l'espèce, aucun n'avait porté d'aussi longues oreilles. 20 'Ah! dit le coucou en les voyant, nous sommes trop heureux, notre querelle° est une affaire d'oreilles; voilà notre juge; Dieu le fit pour nous tout exprès.'

«L'âne broutait.° Il ne s'imaginait guère qu'un jour il jugerait de musique. Mais la Providence s'amuse à beau- 25

---

attrister to sadden
se jouer to make fun
enfreindre to infringe, break
fastidieux tiresome
écart digression
se soucier to care, pay attention to
dits et contredits pros and cons

s'en rapporter to appeal
tiers third
prairie meadow
âne ass
querelle quarrel
brouter browse

coup d'autres choses. Nos deux oiseaux s'abattent devant lui, le complimentent sur sa gravité et sur son jugement, lui exposent le sujet de leur dispute, et le supplient très humblement de les entendre et de décider.

5 «Mais l'âne, détournant à peine sa lourde tête et n'en perdant pas un coup de dent,° leur fait signe de ses oreilles qu'il a faim, et qu'il ne tient pas aujourd'hui son lit de justice.° Les oiseaux insistent; l'âne continue à brouter. En broutant son appétit s'apaise.° Il y avait quelques arbres
10 plantés sur la lisière° du pré.° 'Hé bien! leur dit-il, allez là: je m'y rendrai; vous chanterez, je digérerai,° je vous écouterai, et puis je vous en dirai mon avis.'

«Les oiseaux vont à tire-d'aile° et se perchent; l'âne les suit de l'air et du pas d'un président à mortier° qui traverse
15 les salles du palais°: il arrive, il s'étend à terre et dit: 'Commencez, la cour vous écoute.' C'est lui qui était toute la cour.

«Le coucou dit: 'Monseigneur, il n'y a pas un mot à perdre de mes raisons; saisissez bien le caractère de mon chant, et surtout daignez en observer l'artifice et la méthode.' Puis,
20 se rengorgeant° et battant à chaque fois les ailes, il chanta: 'coucou, coucou, coucoucou, coucoucou, coucou, coucoucou.' Et après avoir combiné cela de toutes les manières possibles, il se tut.

«Le rossignol, sans préambule, déploie° sa voix, s'élance
25 dans les modulations les plus hardies, suit les chants les plus neufs et les plus recherchés; ce sont des cadences° ou

---

coup de dent bite
lit de justice "bed of justice" (high tribunal)
apaiser to appease
lisière edge, fringe
pré meadow
digérer to digest

à tire-d'aile at a single flight
président à mortier chief justice
palais court house
se rengorger to swell out one's throat
déployer to open up
cadence trill

des tenues° à perte d'haleine° ; tantôt on entendait les sons descendre et murmurer au fond de sa gorge comme l'onde° du ruisseau° qui se perd sourdement° entre des cailloux,° tantôt on les entendait s'élever, se renfler° peu à peu, remplir l'étendue des airs et y demeurer comme suspendus. Il était successivement doux, léger, brillant, pathétique, et quelque° caractère qu'°il prît, il peignait ; mais son chant n'était pas fait pour tout le monde.

«Emporté par son enthousiasme, il chanterait encore ; mais l'âne qui avait déjà bâillé° plusieurs fois, l'arrête et lui dit : 'Je me doute que tout ce que vous avez chanté là, est fort beau, mais je n'y entends rien ; cela me paraît bizarre, brouillé,° décousu.° Vous êtes peut-être plus savant° que votre rival, mais il est plus méthodique que vous, et je suis, moi, pour la méthode.'

Et l'abbé, s'adressant à M. Le Roy, et montrant Grimm du doigt : «Voilà, dit-il, le rossignol, et vous êtes le coucou, et moi je suis l'âne qui vous donne gain de cause.° Bonsoir.»

Les contes de l'abbé sont bons, mais il les joue supérieurement. On n'y tient pas.° Vous auriez trop ri de lui voir tendre son cou en l'air, et faire la petite voix pour le rossignol, se rengorger et prendre le ton rauque° pour le coucou ; redresser° ses oreilles, et imiter la gravité bête et lourde de

---

tenue sustained note
à perte d'haleine to make one lose
  one's breath
onde water
ruisseau stream
sourdement with a dull sound
caillou pebble
se renfler to swell out
quelque ... que whatever
bâiller to yawn

brouillé mixed up
décousu disconnected
savant learned, skilled
donner gain de cause à to render a
  verdict in favor of
on n'y tient pas one cannot keep
  oneself from laughing
rauque raucous
redresser to erect

l'âne; et tout cela naturellement et sans y tâcher. C'est qu'il est pantomime depuis la tête jusqu'aux pieds.

M. Le Roy prit le parti de louer° la fable et d'en rire.

Le Siège de Paris [1]

Lettre de Gautier à sa fille Estelle

14 novembre 1870

5 Les journées de siège sont plus longues que les autres et peuvent compter pour des mois. On ne saurait imaginer une existence plus morne° et plus triste. De danger il n'y en a pas dans le vrai sens du mot. La ville n'est pas attaquée sérieusement, mais investie de façon à nous faire mourir de 10 faim° dans un temps donné.

Dans ce cachot° de plusieurs lieues° de tour,° je n'ai pas, comme Ugolin,[2] la ressource de manger mes enfants, puisqu'ils sont en Suisse° ou en Angleterre.° Il n'y a plus de beurre° depuis longtemps: l'huile° commence à manquer, 15 le fromage° est un mythe et je t'avoue que le macaroni à l'eau et au sel° est un mince régal.° La ration de viande° est descendue à quarante grammes par jour pour chaque

louer to praise
morne mournful
faim hunger
cachot cell
lieue league
de tour in circumference
Suisse Switzerland

Angleterre England
beurre butter
huile oil (*vegetable oil*)
fromage cheese
sel salt
régal feast
viande meat

personne et l'on n'obtient sa portion qu'après des queues°
de trois heures. J'ai mangé du cheval, de l'âne,° du mulet,°
mais il n'y en aura bientôt plus.

Il se forme des boucheries° où l'on vend du chien, du
chat° et même des rats et des pierrots°; un chien un peu 5
fort vaut 20 francs; une moitié de chat vaut 6 francs; les
rats et les pierrots 50 centimes. Pardonne-moi tous ces détails, mais la grande affaire est de se nourrir. Quand on se
rencontre, la première question que l'on s'adresse, c'est:
«Avez-vous de la viande?» Cela a remplacé le banal: 10
«Comment vous portez-vous?»

queue queue (*group of people standing in line*)	**boucherie** butcher shop
	chat cat
âne ass	**pierrot** sparrow
mulet mule	

Notes

ROUSSEAU: L'IDYLLE DES CERISES

1. **il ne fallait pas attendre la nuit pour rentrer en ville.** The city gates were, at that time, locked at nightfall and not reopened until morning. Rousseau himself had been locked out at night several times a few years before when he lived in Geneva, and it was one such experience that determined him to run away from home.

CHATEAUBRIAND: VOYAGE AUX ÉTATS-UNIS

1. **Marquis de la Rouërie.** Armand, marquis de la Rouërie, was a young Breton nobleman who came to America in 1777, after an unfortunate love affair. He served in the Colonial army, in which he commanded a cavalry detachment composed of Frenchmen. He was a friend of Washington, Lafayette and Chateaubriand. In America he was known as "Colonel Armand."

2. **Bien, bien, jeune homme.** It is to be noted that Chateaubriand mistranslated Washington's phrase. *Bien, bien* expresses approval, whereas Washington's "Well, well" was merely a polite expression of interest and would have been better rendered by something like *Tiens, tiens!*

3. **clef de la Bastille.** Possibly the key that is still shown to visitors at Mount Vernon.

4. **il aurait moins respecté sa relique.** Chateaubriand was a member of the old French nobility. At the beginning of the Revolution he was not unfavorable to some of the reforms proposed. However, later, several members of his family, including Malesherbes, who had encouraged his trip to America, were guillotined and he himself exiled. He naturally resented the cruelty of many of the leaders of the Revolution.

5. **bill de finance.** The famous Stamp Act, which caused so much protest in the Colonies.

6. **où Asgill fut arrêté.** This detail shows in an interesting way how Chateaubriand arranged his memoirs with too little regard for actual fact. In an earlier account of his trip up the Hudson, he had said that, while passing the spot where Major André, the English spy, was caught, a passenger sang the well-known lament for André. In the later version he has substituted Asgill for André. The circumstances hardly fit Asgill. (See Katharine Mayo's *General Washington's dilemma,* 1938.) Asgill was not arrested along the Hudson, he was not executed and it is quite unlikely that any lament was written for him. (Several were written for André.) Asgill was a young British officer, held a prisoner of war and designated by lot to be executed as reprisal for the murder (by a band of Tories) of an American officer. Many people, including Queen Marie Antoinette, interceded for him and he was eventually freed.

7. **regardaient notre barque passer au-dessous d'eux.** This sentence should be read aloud. With its rich, melancholy rhythms and its "local color" and exotic suggestions, it illustrates those qualities of style which made Chateaubriand's admirers call him "the enchanter" (*l'enchanteur*).

8. **canal de New-York.** The Erie Canal, completed in 1825.

9. **Madelon Friquet.** A popular French dance of the early nineteenth century.

GEORGE SAND: PREMIERS SOUVENIRS

1. **la rime n'est pas riche.** *Rimes riches* are in French verse considered superior to the simpler rimes known as *rimes suffisantes.* For a rime to be *riche,* the consonant or consonants immediately preceding the riming vowel must be identical. Thus, while *argent* and *enfant* make a *rime suffisante,* to have a *rime riche* one would have to rime something like *sergeant* with *argent.*

2. **nous n'irons plus au bois.** The *ronde* or round from which these two lines are quoted is still well known in France, and the two lines given here are particularly well known and frequently quoted.

3. **Giroflée, Girofla.** This round is much less known nowadays.

4. **jouer du grillage.** *jouer du piano* means to play the piano. *jouer du grillage* is a humorous expression and means "is playing the grillwork."

ANATOLE FRANCE: LA CASQUETTE DE FONTANET

1. **le portefeuille d'un ministre de Louis XVI.** Louis XVI was dethroned in 1792 and decapitated in 1793. Hence the portfolio must have been rather old! (The story is supposed to take place about 1855.)

2. **Atrides.** The descendants of Atreus (of whom Agamemnon was the best known) were called the Atrides. They were noted for the crimes which members of the family committed against each other.

MUSSET: IL FAUT QU'UNE PORTE SOIT OUVERTE OU FERMÉE

1. **aux Italiens.** *Le théâtre des Italiens* was an important theater of Paris.

2. **Rodrigue.** Hero of Corneille's *Le Cid*. Among cultivated French people he would be taken as type of the perfect lover.

3. **chemins de fer.** Railroads were a novelty, a subject of polite conversation, in 1845.

4. **le beau corps trouvé à Milo.** The Venus de Milo. **Astarté.** A Syrian goddess. **Aspasie.** A Greek courtesan of the time of Pericles. **Manon Lescaut.** Heroine of Prévost's famous novel of the same name.

5. **café de Paris.** A fashionable café-restaurant of the period.

6. **fleurons.** The idea is that in having the *fleurons* removed from the seal, it would be changed from that of a *marquise* to that of a *comtesse,* an ingenious way of letting the Comte know that his proposal was accepted.

MÉRIMÉE: MATEO FALCONE

1. **Porto-Vecchio.** A town on the eastern coast of Corsica.

2. **quand j'étais en Corse en 18...** It is interesting to recall that

Mérimée had actually never been in Corsica when he wrote this story (1829).

3. **Corte.** A large town in central Corsica.

4. **Bastia.** An important town and seaport of northern Corsica.

5. **ce n'était qu'un Français.** The Corsicans were proud and regarded all mainlanders, the French included, as inferiors. It must be remembered that when this story was written Corsica had been French for only sixty years.

BALZAC: JÉSUS-CHRIST EN FLANDRE

1. **Cadzant.** Balzac's geography is somewhat confused. Cadzant is not an island, but a town on the mainland. The island of which Middelburg is the capital is called Walcheren. Flushing, the town in Walcheren which is closest to the coast of Flanders, is separated from it by the estuary of the Scheldt, 2 or 3 miles wide. Ostend is about 30 miles to the southwest, down the coast.

2. **célèbre dans les annales du Protestantisme.** An important synod, which played a part in the establishing of the Dutch Reformed Church, was held at Middelburg in 1581.

3. **Notre-Dame de Lorette.** A famous shrine at Loretto, Italy, a frequent goal of pilgrimages.

4. **l'entrée des Français en Belgique.** During the revolutionary period France invaded and conquered Belgium and Holland.

MAUPASSANT: LE PROTECTEUR

1. **conseiller d'État.** A member of the *Conseil d'État,* the administrative council of the government, and, at the same time, the highest administrative tribunal.

2. **une feuille de papier à lettre.** Among the privileges conferred by simply buying a drink in a French café is that of obtaining pen, ink and letter paper with which to carry on one's correspondence.

3. **café Américain,** etc. Well-known cafés or café-restaurants of that time located on the Grands Boulevards.

4. **le clergé.** Anti-clericalism, that is, opposition to the political power and educational functions of the Catholic Church, was growing then and was one of the tenets of many liberals.

5. **Palais-Royal.** A palace, square and garden in the center of Paris. The *Palais-Royal* was the palace of the king at one time in the middle of the seventeenth century; at the time of this story it was the seat of the *Conseil d'État*.

6. **ancien Jésuite.** The Jesuits had been expelled from France in 1762 and again in 1880, shortly before this story was written.

CHOIX DE POÉSIES LYRIQUES

1. **toison.** The Golden Fleece was won by the Greek hero Jason and his crew of Argonauts.

2. **Liré.** Du Bellay's natal village, in the province of Anjou, along the river Loire.

3. **Oceano nox.** "Night over the ocean," a quotation from Vergil.

4. **mon père.** The father of Victor Hugo was a general in the armies of Napoleon.

MADAME DE SÉVIGNÉ: LA MORT DU GRAND VATEL

1. **La mort du Grand Vatel.** Vatel was steward of the Prince de Condé, famous French general and head of the noble family most important in France after the royal family. Condé (who was usually referred to as "Monsieur le Prince," whereas his eldest son, the Duc d'Enghien, was referred to as "Monsieur le Duc") had palatial estates at Chantilly, north of Paris, and on this occasion the King, Louis XIV, was paying him a formal visit, all the Court going along. The other people mentioned in this passage may be identified as follows: Moreuil was first gentleman-in-waiting to Condé. Gourville was a sort of general factotum in the Condé household; a commoner with a great ability for intrigue, he had pushed his way into society by making himself useful to the great. M. d'Hacqueville was a friend of Mme de Sévigné's. Liancourt, where the King went from Chantilly, was a few miles away: it was the seat of the Duc de Liancourt, a relation of the La Rochefoucauld family.

DIDEROT: LE ROSSIGNOL ET LE COUCOU

1. **A Mademoiselle Volland.** Diderot addressed a large majority of his letters to Mademoiselle Louise-Henriette Volland, whom he

always called "Sophie." She lived most of the time in the provinces and died in the same year as Diderot. Of the persons mentioned in the letter, the abbé Galiani (1728–1787) was an Italian and for a good many years secretary of the Italian embassy in Paris. He frequented the salons of the *philosophes* and was known for his tiny stature and his keen wit. Grimm (1723–1807) was a German who came to live in Paris, frequented the salons and for nearly twenty years wrote a *Correspondance littéraire* which kept several foreign sovereigns posted as to literary and philosophical affairs in France. Le Roy was a contributor to the *Encyclopédie*.

GAUTIER: LE SIÈGE DE PARIS

1. **Le siège de Paris.** Paris was besieged by the Prussians from September 1870 to January 1871, when it surrendered.

2. **Ugolin.** A thirteenth-century Italian tyrant, who was imprisoned with his children in a tower and left to starve to death. According to Dante, Ugolino ate his children.

Vocabulary

To save space, this vocabulary has omitted the following classes of words or expressions, which, it is assumed, the student would not need to look up: (1) obvious cognates; (2) the more common particles (i. e., pronouns, the common prepositions, conjunctions, adverbs, etc.); (3) adverbs formed by adding -ment to an adjective which is given; (4) ordinals, the cardinal corresponding to which is given. In the case of regular adjectives, only the masculine is given. Long and complicated idiomatic constructions which occur only once are explained adequately at the bottom of the page on which they are found and are not given in the vocabulary.

abattre to knock down, knock off
abbé *m.* abbot, priest; (*as a title*) father
abîme abyss
abîmer to annihilate, spoil
abonder to abound, be abundant
abonnement subscription fee
abord: d'— first, at first
aborder to approach, accost
abri *m.* shelter
accabler to crush, overwhelm
accommoder to accommodate; **s'—** to apply, make use of
accompagner to accompany
accorder to grant, allow; to tune
accouder: s'— to lean (*on one's elbows*)
accourir to run up
accoutumer to accustom
accrocher to hook, hang up

accroupir to crouch
accueillir to receive, welcome
accuser to accuse; to bring out, indicate
acheter to buy
achever to end, finish, complete
acier *m.* steel
acte *m.* act, action; (*legal*) deed
action *f.* action; **— de grâce** thanksgiving
adjudant *m.* sergeant
adossé leaning back, with one's back to
adoucir to solace
aérien, aérienne airy
affaiblir to weaken
affamé famished
affligé afflicted
affluent *m.* tributary
affolement *m.* distraction

affreux, affreuse frightful

afin de in order to

agenouiller: s'— to kneel

agir to act; **s'— de** to be a question of, a matter of

agiter to agitate

agrandir to make *or* grow larger *or* greater

agréer to accept

ah çà! look here! (*expresses vexation*)

aïeule *f.* great-grandmother

aïeux *m. pl.* ancestors

aiguillon *m.* goad

aiguiser to sharpen

ailleurs elsewhere; **d'—** moreover, furthermore, besides

aimable amiable, likable

aimer to love, like

aîné eldest

ainsi thus, so, in this manner or way

aise: être bien — de to be glad to

ajouter to add

ajustement *m.* dress

aligner to line up, put in a row

allécher to attract, allure

aller to go; to suit; **s'en — to** go away

allumer to light

allure *f.* gait, manner of going

alors then

altéré thirsty

alternativement alternately

altier, altière haughty

amant *m.* lover

amarré tied up, moored

âme *f.* soul

amende *f.* fine

amener to bring

amer, amère bitter

amertume *f.* bitterness

ameublement *m.* furniture

ami *m.* friend

amitié *f.* friendship

amont upstream

amour *m.* love

amoureux *n. m.* lover; *adj.* (*f.* **amoureuse**) amorous, in love

an *m.* year

ancien, ancienne old, former

ancre *f.* anchor

âne *m.* ass

ange *m.* angel

angevin pertaining to Anjou (*province of France*)

anglais English; **Anglaise** Englishwoman

Angleterre *f.* England

angoisse *f.* anguish

anneau *m.* ring

année *f.* year

anspessade *f.* noncommissioned officer

antique ancient

Anvers Antwerp

août *m.* August

apaiser to appease

apercevoir to perceive, notice

aplomb *m.* assurance; **d'—** straight down

apparaître to appear

appareil *m.* apparatus, apparel; **en grand —** in full regalia

apparemment apparently

apparition *f.* appearance

appartenir to belong

appeler to call, name; **s'—** to be called, be named

appointé *m.* private soldier (*receiving higher pay than other privates*)

apporter to bring
apprendre to learn, inform of
apprêté artificial
appui *m.* support
appuyer to press, lean, support
après after
arbre *m.* tree
arbrisseau *m.* shrub
archevêque *m.* archbishop
ardoise *f.* slate
arête *f.* bone (*of a fish*), backbone
argent *m.* money, silver; — à onze
  deniers silver 11/12 pure
arme *f.* arm, weapon
armer to cock
armoire *f.* cupboard
arracher to snatch, tear
arrêt *m.* judgment, decision
arrêter to arrest, stop; s'— to stop
arrière back, behind
artifice: feu d'— fireworks
asile *m.* asylum, retreat
asseoir: s'— to sit down
assez rather; sufficiently, enough
assiette *f.* plate
assommer to plague to death
assoupir to quiet down
assourdir to deafen
assurément surely
astre *m.* star, heavenly body
  (*moon or sun, according to con-
  text*)
âtre *m.* hearth
attardé belated
atteindre to attain, reach, get to,
  catch
attendre to wait, wait for, await
attendrir to soften
attente *f.* reach
attirail *m.* paraphernalia
attirer to draw, attract

attraper to catch
attrister to sadden
auberge *f.* inn
au-dessous de under
au-dessus de above
augmenter to increase
aujourd'hui today
aumône *f.* alms
aumônier *m.* almoner, chaplain
auprès near, beside
aurore *f.* dawn
aussi also, too, as
aussitôt immediately
autant as much
auteur *m.* author
autrui another
avaler to swallow
avare *m.* miser
avenir *m.* future
averse *f.* shower
avertir to warn, notify
aveugle blind
aveugler to blind
avis *m.* opinion
aviser: s'— to come to a decision;
  to take into one's head
avocat *m.* lawyer
avoir to have; — beau to (do something) in vain, to be useless to;
  il y a there is, there are; ago;
  qu'avez-vous? what is the matter with you? *n. m.* possessions
avouer to avow, admit

babil *m.* prattle
babines *f. pl.* chops
baccalauréat *m.* bachelor's exami-
  nation
bachelier *m.* bachelor (*i.e.* holder
  of a bachelor's degree)
badaud *m.* idler

bagatelle *f.* trifle
bague *f.* ring
bah! pooh!
baigner to bathe
bâiller to yawn
baiser to kiss; *n. m.* kiss
baisser to lower
bal *m.* ball, dance
balayer to sweep
balbutier to stammer
baleine *f.* whale, whalebone rib
baliverne *f.* nonsense
balle *f.* bullet, ball
balourd *m.* numskull
ban: lever de — to call out one's subjects
banc *m.* bench
bandeau *m.* band, division
bandit *m.* outlaw
bandoulière: en — slung over one's shoulder
bannière *f.* banner, standard bearer
bannir to banish
banque *f.* bank
barbe *f.* beard
barbon *m.* graybeard, dotard
barbouillé painted, smeared
barbu bearded
barque *f.* bark, boat
barre *f.* bar, helm
bas, basse low
basané swarthy
bassin *m.* basin, pool
bâtir to build
battre to beat. **se —** to fight
bavard talkative
baver to drool, slobber
beau, belle beautiful, fine, handsome
beaucoup much, very much
beau-père *m.* father-in-law

bec *m.* beak, prow (*of a boat*)
bêche *f.* spade
bégayer to stutter
benêt *m.* simpleton
bénir to bless
berceau *m.* cradle; arbor, arch
bercer to rock to sleep
berceuse: chansons des —s cradle-songs
berger *m.* shepherd
besogne *f.* task, work, job
besoin *m.* need
bête *f.* animal, beast; *adj.* stupid
beurre *m.* butter
bibliothécaire *m.* librarian
bibliothèque *f.* library
bien well, indeed; very, thoroughly; **— entendu** of course; **eh —** well; *n. m.* good; *n. m. pl.* possessions, property, worldly goods
bienfait *m.* benefit, good deed
bien que although
bientôt soon
bière *f.* beer
bignonia *f.* bignonia, trumpet flower
bise *f.* north wind
bissac *m.* wallet
blafard wan
blanc, blanche white
blanchir to whiten (*i.e.* to grow old)
blanchisseuse *f.* laundress
blé *m.* wheat
blême pale
blesser to injure, wound, hurt
blessure *f.* wound
bleu blue
blottir: se — to crouch down
bock *m.* glass of beer

bœuf *m.* ox
boire to drink
bois *m.* wood
boîte *f.* box, case (*of a watch*)
boiter to limp
boiteux, boiteuse lame
bomber to swell out
bon good, kind
bond *m.* bound, leap
bondé stuffed, packed
bonheur *m.* good fortune, happiness
bonhomme *m.* man, fellow (*pejorative or patronizing*)
bonne *f.* maid, nurse
bonnement simply
bonnet *m.* bonnet, hat, cap; — de nuit nightcap
bonté *f.* goodness, kindness
bord *m.* border, shore, brink, edge
border to border, line
bordure *f.* border, edge
borgne one-eyed
borne *f.* limit
borner to limit
bosse *f.* hump
bossette *f.* stud
botte *f.* boot
bouche *f.* mouth
boucher to stop up
boucherie *f.* butcher shop
boucle *f.* curl
bouger to budge, move
bougie *f.* candle
boule *f.* ball
bouquet *m.* bunch
bouquin *m.* old book
bourdonnement *m.* buzzing
bourg *m.* hamlet
bourgade *f.* hamlet
bourgeois *m.* middle-class citizen

bourgmestre *m.* burgomaster
bourre *f.* wadding (*of a cartridge*)
bourreau *m.* executioner
bourse *f.* purse
bousculer to jostle
bout *m.* end; au — de after, at the end of; au — du compte all in all; venir à — to succeed
bouteille *f.* bottle
boutique *f.* shop
bouton *m.* button; — de la porte doorknob
boutonnière *f.* buttonhole
brabançon pertaining to Brabant (*a province of Belgium*)
brancard *m.* stretcher
branle *m.* push, impetus
bras *m.* arm
brasserie *f.* large café
brave good, worthy, brave
bravoure *f.* bravery
bride *f.* bridle
briser to break
brochette *f.* pinned ribbon
broder to embroider
broderie *f.*: en — with embroidered upholstery
brouillard *m.* fog
brouille *f.* disagreement
brouiller to mix up; se — to become at odds, quarrel
brouter to browse
bruit *m.* noise
brûler to burn
brûlure *f.* burn
brun brown
brusque brusque, brisk, sudden
bûche *f.* log
bureau *m.* office, desk
butin *m.* booty

çà here
cabinet *m*. closet, small room; — de toilette closet containing a washstand
cacher to hide
cachet *m*. seal
cacheter to seal
cachot *m*. cell
cadeau *m*. present, gift
cadence *f*. cadence, trill
cadette *f*. younger sister
cadran *m*. face (*of a watch*), dial
caillé clotted
caillou *m*. stone, pebble
calcul *m*. calculation
camelot *m*. camlet (*coarse cloth*)
campagne *f*. country
canal *m*. canal, channel
canapé *m*. couch
canon *m*. cannon, barrel (*of a gun*)
caporal *m*. corporal
capote *f*. cloak
capuchon *m*. hood
caquet *m*. tittle-tattle
car for
caramba *Spanish oath*
carapace *f*. shell
carchera *f*. cartridge pouch
carré square
carreau *m*. pane, windowpane
carrière *f*. career, course
carrosse *m*. carriage
carte *f*. card, map
carton *m*. cardboard, cardboard box
cartouche *f*. cartridge
cas *m*. case
casquette *f*. cap
casser to break; to demote
cassette *f*. small box, casket

castor *m*. beaver
cause *f*. cause, reason, case; à — de because of, on account of
causer to cause, chat
cavalier *m*. horseman; cavalière *f*. horsewoman
cave *f*. cellar
céder to yield, hand over to
ceinture *f*. belt
cendre *f*. ash
cent one hundred, hundred
cépée *f*. shoot
cependant however, meanwhile
cerise *f*. cherry
cerveau *m*. brain
cesse *f*. ceasing; sans — ceaselessly
cesser to cease
chagrin *m*. sorrow
chagriné saddened
chaise *f*. chair
chaleur *f*. heat
chaloupe *f*. large rowboat
chambellan *m*. chamberlain
chambre *f*. room
champ *m*. field
Champagne Champagne (*former province of eastern France*)
chance *f*. luck, chance
chanceler to totter, stagger
chandelle *f*. candle; à la — by candlelight
chanson *f*. song; —s des berceuses cradlesongs
chant *m*. song
chanter to sing
chapeau *m*. hat
charge *f*. commission; load
charger to charge, load
charrue *f*. plow
chasse *f*. hunt
chasser to hunt, chase

chat *m.* chatte *f.* cat
châtaigne *f.* chestnut
châtaignier *m.* chestnut tree
châtier to chastise
chaton *m.* bezel
chaud hot, warm
chauffer to warm
chaume *f.* thatch
chaumière *f.* thatch-roofed hut
chaumine *f.* thatch-roofed hut
chaussée *f.* paved street
chaussure *f.* footwear, shoe, shoes
chauve bald
chavirer to founder
chef *m.* chief
chemin *m.* way; — de fer railway; — de traverse crossroad
cheminée *f.* chimney, mantelpiece
chemise *f.* shirt
chenu hoary
cher, chère dear, expensive
chercher to look, look for, seek, search
chère *f.*: bonne — good cheer
chérir to cherish
chétivement thinly
cheval *m.* horse
chevalier *m.* knight
cheveux *m. pl.* hair
chèvre *f.* goat
chevreuil *m.* roebuck
chevrotines *f. pl.* buckshot
chez at the house of, at the establishment of; in the case of
chien *m.* chienne *f.* dog
chiffon *m.* rag
chiffre *m.* figure, number
chœur *m.* chorus
choisir to choose
choix *m.* choice; à — if choice were permitted

chose *f.* thing
chronique *f.* chronicle
chuchotement *m.* whispering
chuchoter to whisper
chute *f.* fall
ciel *m.* sky, heaven
cigale *f.* locust
cimetière *m.* cemetery
cinq five
cinquante fifty
circulation *f.* circulation, traffic
cire *f.* wax
citoyen *m.* citoyenne *f.* citizen
clair clear, obvious; — de lune moonlight
clairière *f.* clearing
claque *m.* opera hat
clarté *f.* light, clarity
clef *f.* key
clerc *m.* cleric, priest, secretary
cloche *f.* bell
clopiner to hobble
clos *m.* garden, enclosure
clôture *f.* fence
clouer to nail
cocher *m.* coachman; — de fiacre cabdriver
cœur *m.* heart; de bon — heartily
coffre *m.* chest
coffre-fort *m.* strongbox
cognée *f.* axe
cohue *f.* mob, throng
coiffer to arrange the hair; coiffé de wearing (on the head)
coin *m.* corner; de — out of the corner of (his) eye
col *m.* neck
colère *f.* anger; *adj.* bad-tempered
coller to press upon, glue to
collet *m.* collar; — jaunes yellow collars (*soldiers*)

colon *m.* colonist

combien how much, how many, for how much

combler to overwhelm, fill to overflowing

comme like, as, such as

commerçant busy, full of commerce

commode convenient, comfortable, easy-going

compagnon *m.* **compagne** *f.* companion

complainte *f.* lament, dirge

complaisant obliging

complice *m.* accomplice

comprendre to understand; to include

compte *m.* count, account; **se rendre** — to realize; **au bout du** — all in all; **sur mon** — about me

compter to count; to expect, intend; **deniers comptants** hard cash

concevoir to conceive

conclure to conclude

concupiscence *f.* lust

condamné condemned man

conducteur *m.* leader, guide

conduire to conduct, lead, take; to drive

conduite *f.* conduct

confesse confession

confiance *f.* confidence

confier to confide, entrust

confiseur *m.* confectioner

confondre to confuse, fail to distinguish, place on the same footing

congédier to dismiss

connaissance *f.* acquaintance, knowledge

connaître to know, be acquainted with

conquérir to conquer

conscience *f.* consciousness, conscience

conseil *m.* counsel, advice; council

conseiller to advise; *n. m.* councillor; — **d'État** member of the Conseil d'État

conséquence: de — of importance

conséquent: par — consequently, accordingly

considérer to consider, look at, respect

consommation *f.* drink

construire to build, construct

conte *m.* tale, story

contenir to contain, restrain

content glad, pleased, satisfied

conter to tell, relate

contestation *f.* argument

conteur *m.* storyteller

contraint constrained, obliged, forced

contre against

convaincre to convince, convict

convenable suitable

convenir to agree, suit; **convenu** conventional

convive *m.* fellow guest

convoiteux *m.* covetous man

convoitise *f.* covetousness

coque *f.* hull

coquin *m.* rascal, knave

cor *m.* horn

corbeau *m.* raven, crow

cordages *m. pl.* ropes

cordonnier *m.* shoemaker

corne *f.* horn

corner to blow a horn

corps *m.* body; — à — hand to hand

Corse *f.* Corsica; *m.* Corsican

corvée *f.* nasty job

côte *f.* coast, rib

côté *m.* side; à — de beside; du — de in the direction of, toward; de ce — in this direction; de son — on his part

coteau *m.* hill

cou *m.* neck

coucher to cause to lie down; se — to go to bed; — en joue aim at; couchant setting

coucou *m.* cuckoo

coude *m.* elbow

couler to flow

coup *m.* stroke, blow; — de dent bite; — de feu shot; à — sûr surely; tout à — suddenly

coupable guilty

coupe *f.* cup

couper to cut

couplet *m.* stanza (*of a song*); — de vaudeville chorus of a popular song

cour *f.* court; faire la — to court

courber to bend over

courir to run

couronne *f.* crown

couronner to crown

courroie *f.* strap

courroucé angry

cours *m.* course

course *f.* errand; course, run, race

court short

courtoisie *f.* courtesy

coussin *m.* cushion

coutelas *m.* cutlass

coûter to cost

coutume *f.* custom

couvent *m.* convent

couverture *f.* blanket

couvrir to cover; à couvert from cover

cracher to spit, sputter

craie *f.* chalk

craindre to fear

crainte *f.* fear

créance *f.* belief

créer to create

crème *f.* cream

crépu kinky

crépusculaire twilight

crépuscule *m.* twilight

creuser to dig, hollow

cribler to riddle, pit

crier to cry, shout

crise *f.* crisis

crochu hooked, clawlike

croire to believe, think

croiser to cross

croître to grow

croix *f.* cross

crosse *f.* butt, stock (*of a gun*)

crotter to dirty up

croupe: en — on the rump *or* back end (*of a horse*)

croyance *f.* belief

cueillir to pick, gather

cuir *m.* leather

cuisine *f.* kitchen

cuisiner to cook

cuisse *f.* thigh

culbuter to turn upside down

curé *m.* priest

curieux, curieuse curious

daim *m.* deer

dame *f.* lady; dame! sure!

danseuse *f.* dancer

davantage more
débarquer to disembark
débarrasser to rid
debout standing
déchaîner to unchain, let loose
décharger to discharge, unload
déchirer to tear
déclaration *f.* proposal
décoration *f.* decoration, medal
décorer to decorate, confer an honorary medal upon
découper to cut; to cause to stand out
décourager to discourage
décousu disconnected
découvrir to discover, uncover
décupler to increase tenfold
dédaigner to disdain
dédaigneux, dédaigneuse disdainful
dédain *m.* disdain
dédire: se — to go back on one's word
dédommagement *m.* compensation
dédommager to compensate
défaillant feeling faint
défaut *m.* lack, defect; **à — de** lacking, though one may lack
défendre to defend, forbid
défense *f.* defense, action of forbidding, prohibition, restriction
défenseur *m.* defender
défiant suspicious
défiler to pass by
défriché made suitable for cultivation
dégoûter to cause disgust to, make disgusted
déguiser to disguise
dehors out, outside
déjà already

déjeuner *m.* lunch, breakfast; *v.* to lunch, breakfast
délaisser to abandon
délicatesse *f.* delicacy
délice *m.* delight
demain tomorrow
demander to ask, ask for, demand
démangeaison *f.* itching, longing
démarche *f.* errand
démêlé *m.* mix-up
demeurer to remain, live, dwell
demi half
demoiselle *f.* young lady
démolir to demolish
denier: —s comptants hard cash; **argent à onze —s** silver $^{11}/_{12}$ pure
dent *f.* tooth; **coup de —** bite
dentelle *f.* lace
déparler to stop talking
dépêcher to dispatch; **se —** to hurry
dépens: aux — de at the expense of
dépit *m.* vexation
déplacer to displace
déplaire to displease; **ne vous déplaise** may it not displease you
déployer to deploy, put into play, open up
déposer to place, deposit
déposséder to dispossess
dépouiller to strip
dépourvu deprived
depuis since, for, from; **— longtemps** for a long time
député *m.* deputy, representative (*member of the Chambre des Députés*)
déraison *f.* senselessness

déranger to disturb; **se —** to put oneself out

dernier last, latest

dérober to steal; **escalier dérobé** secret staircase

dérouler: se — to unroll, stretch out

déroute: en — put to rout

derrière behind

dès as early as, as soon as, from; **— que** as soon as

désabusé disillusioned

désagrément *m.* trouble

désavouer to disavow, to fail to allow

descendre to go down, descend

désespérer to fill with despair; **désespéré** desperate

désespoir *m.* despair; **en — de cause** in desperation

désintéressé disinterested

désobéissant disobedient

désœuvrement *m.* lack of occupation

désoler: se — to lament, suffer; **désolé** afflicted, sorry

désormais henceforth

dessein *m.* design, plan

desservir to clear the table

dessus on, upon

détente *f.* trigger

déterrer to dig up

détour *m.* turn

détourné out-of-the-way

détourner to turn away, turn aside

détroit *m.* strait

deuil *m.* grief

deux two

devancer to take the initiative

devant in front of, before

devenir to become

dévêtir to undress

dévider to wind, unwind

deviner to guess

devoir to owe, be obliged to, have to; *n.* duty

dévorer to devour

dévot *m.* devout person

dévotion *f.* extreme piety

dévouement *m.* devotion

diable *m.* devil

dicton *m.* saying

Dieu God; **mon Dieu!** my goodness!

difficile difficult

digérer to digest

digne worthy

dimanche *m.* Sunday

dîner *m.* dinner; *v.* to dine

dire to say, tell

diriger to direct; **se — vers** *or* **à** to head toward or for

discuter to discuss

disparaître to disappear

dissiper to drive away, dissipate

distinguer to distinguish

distraction *f.* absent-mindedness, inattentiveness

distraire: se — to have a good time, amuse oneself; **distrait** heedless

dits et contredits pros and cons

diviser to divide

dix ten

docte learned

doigt *m.* finger

domestique *m. or f.* servant

dommage: c'est — it's a pity

don *m.* gift

donjon *m.* keep

donner to give

doré gilded

dormir to sleep

dos *m.* back

douane *f.* customs

douleur *f.* grief, pain

douloureux, douleureuse sad, painful

doute *m.* doubt; sans — probably, no doubt; sans aucun — without a doubt

douter to doubt; se — to suspect

doux, douce sweet, gentle, mild, pleasant

douze twelve

dragon *m.* dragon, dragoon

dresser to erect, cause to stand up; se — to rise up

droit right; erect, upright; *n. m.* right, law; faire son — to study law

drôle *m.* rascal

dur hard

durant during

durée *f.* duration

durer to last

dureté *f.* hardness

eau *f.* water

ébaubi bewildered

écarlate *f.* scarlet

écart *m.* swerve, digression

échanger to exchange

échapper to escape

échauffer to warm; s'— to become warmed up, become excited

échevelé disheveled

échouer to fail

éclabousser to splash

éclaboussure spattering

éclair *m.* flash

éclaircir to clear up, reveal the cause of

éclairer to light up

éclat *m.* outburst, brilliance

éclatant striking

éclater to break out

écœurer: s'— to be disheartened, nauseated, disgusted

école *f.* school

écolier *m.* pupil

écope *f.* scoop (*for bailing*)

écouter to listen, listen to

écran *m.* screen

écraser to crush

écrier: s'— to cry out, exclaim

écrire to write

écu *m. coin worth 3 francs*

écueil *m.* reef

écume *f.* foam

écurie *f.* stable

écuyer *m.* groom

éffaré startled

effet *m.* effect; en effet in fact

effeuiller: s'— to lose leaves

effleurer to graze

efforcer: s'— to attempt

effrayant terrible, frightful

effrayer to frighten

effroi *m.* fright

égal equal

égalité *f.* equality

égard: à l'— de with regard to

égarement *m.* inattention

égarer: s'— to wander, stray

égayer: s'— to become lively

église *f.* church

égorger to cut the throat of

élancer: s'— to dash forth, leap

élargir to broaden out

élever to raise, rear

éloge *m.* eulogy

éloigner: s'— to go away from, increase one's distance from

émail *m.* enamel

embarcation *f.* craft

embaumé balmy

embrouiller: s'— to become mixed up

émerveiller: s'— to wonder; émerveillé wonderstruck

emmener to take away, drag off

empaqueter to wrap up

emparer: s'— to seize, seize hold

empêcher to prevent, hinder

empesé starched

empoigner to take into custody, seize hold of

emporter to take, take away; s'— to become angry

empreinte *f.* print

empressement *m.* haste

empresser: s'— to hurry, hasten; be officious; empressé in a hurry

emprunter to borrow

emprunteur *m.* emprunteuse *f.* borrower

ému moved

énaser: s'— to bump one's nose

encore still, again, also, even

encre *f.* ink

endommager to damage

endormir: s'— to go to sleep

endroit *m.* spot, place

enfance *f.* childhood

enfant *m.* or *f.* child

enfer *m.* hell

enfermer: s'— to shut oneself up

enfin finally, at last

enfler: s'— to swell up

enfoncer to smash in

enfouir to bury

enfreindre to infringe, break

enfuir: s'— to flee

engloutir to engulf

enhardir: s'— to become bold

enivrer to intoxicate

enlever to remove, take off, take away

ennui *m.* boredom, annoyance

ennuyer to bore, vex, annoy

ennuyeux, ennuyeuse boring

enregistrer to record

enrhumer to cause to catch cold; s'— to take cold

enseigne *f.* sign

enseignement *m.* lesson

enseigner to teach

ensemble together

ensevelir to bury

ensuite then, next

entendre to hear, understand; bien entendu of course

enterrer to bury

entêtement *m.* obstinacy

entier, entière entire, whole

entourage *m.* surrounding

entourer to surround

entraîner to train, drag, draw

entrée *f.* entrance, entry

entreprendre to undertake

entrer to enter, go in

entretenir to maintain; s'— to chat, converse

entretien *m.* conversation

entr'ouvrir: s'— to half open

enveloppe *f.* wrapping

envie *f.* envy, desire

envieux *m.* envious man

environ about

environner to surround

envoler: s'— to fly away

envoyer to send

épagneul *m.* épagneule *f.* spaniel
épais, épaisse thick
épandu spread out
épargner to spare
épaule *f.* shoulder
épée *f.* sword
éperdu distracted
éperon *m.* spur
épi *m.* head of wheat
épine *f.* thorn
éploré in tears
éplucheur *m.* hairsplitter
épouser to marry
épouvantable frightful
épouvanter to frighten
époux *m.* husband; épouse *f.* wife
éprendre: s'— to fall in love
épreuve *f.* test, try, attempt
éprouver to test, experience, feel
épuiser to drain, exhaust
équipage *m.* equipage, boatload
errer to wander
escabelle *f.* stool
escalier *m.* stairway; — dérobé
  secret staircase
escarpé steep
escopette *f.* musket
espace *m.* space
Espagnol *m.* Spaniard
espèce *f.* kind, sort
espérance *f.* hope
espoir *m.* hope
esprit *m.* mind, wit, spirit
esquif *m.* skiff
essai *m.* essay, attempt, assay
essayer to try, attempt
essoufflé out of breath
essuyer to wipe
est *m.* east
établir to establish
étalage *m.* shopwindow

étaler: s'— to stretch out, spread
  out
état *m.* state
été *m.* summer
éteindre to extinguish, put out
étendre to extend, stretch out
étendue *f.* space, stretch
étinceler to sparkle
étoile *f.* star
étonnement *m.* astonishment
étonner to astonish
étouffer to stifle, choke
étourderie *f.* heedlessness
étrange strange
étrangeté *f.* strangeness
être to be; il était une fois, once
  there was; *n.* being
étreindre to clasp, grasp
étroit narrow
étude *f.* study
étudiant *m.* student
étudier to study
évanouir: s'— to vanish
éveiller to wake up
événement *m.* event
éventail *m.* fan
évêque *m.* bishop
évidemment evidently
éviter to avoid
exaucer to fulfill
excéder to tire out
exemplaire *m.* copy
exemple *m.* example; par —! upon
  my word!
exhiber to exhibit
expier to expiate
explication *f.* explanation
expliquer to explain; explique qui
  pourra let him who can explain
exprimer to express

exquis exquisite, fancy
extase *f.* ecstasy

face *f.* face; en — opposite
fâcher to anger, annoy
fâcheux, fâcheuse annoying
facile easy
façon *f.* fashion, way, manner
fadaise *f.* insipidity
fade insipid
faible weak
faiblesse *f.* weakness
faim *f.* hunger
faire to do, make; se — la cour
to court; — son droit to study
law; — feu to fire; — grâce à
to pardon; — part à to inform;
se — valoir to appear important
fait *m.* fact, deed
falloir to be necessary
famé: bien — in good repute
famille *f.* family
fanon *m.* dewlap
fantaisie *f.* fancy
farci stuffed
fardeau *m.* burden
fastidieux, fastidieuse tiresome
faubourg *m.* suburb
faucon *m.* falcon
faute *f.* mistake, error, fault
fauteuil *m.* armchair
faux, fausse false
fée *f.* fairy
fêler to crack
femme *f.* woman; — de chambre
maid
fendre to split
fenêtre *f.* window
fer *m.* iron, shoe (*of a horse*)
ferme *f.* farm

ferme firm, solid
fermer to close, shut
ferré shod
festin *m.* feast
fête *f.* holiday
feu *m.* fire, household; faire — to
fire; coup de — shot; — d'artifice fireworks
feuille *f.* leaf, sheet, newspaper
feuilleton *m.* popular newspaper
serial
fiacre *m.* cab
fiançailles *f. pl.* betrothal
fidèle faithful
fier, fière proud; (*colloq.*) lot of
fiévreux, fiévreuse feverish
figure *f.* figure, face
figurer: se — to imagine, fancy
file: à la — in single file
filer to spin
fille *f.* daughter, girl; — à marier
marriageable girl
fils *m.* son
fin *f.* end
fin smart, shrewd, fine
finesse *f.* trick
finir to finish, end
flamand Flemish
flamboyer to flame
flamme *f.* flame
flatter to flatter
fleur *f.* flower
fleurir to flower, bloom
fleuron *m.* flower-shaped orna-
ment
flot *m.* wave
flotter to float
fluxion *f.* congestion
foi *f.* faith
foin *m.* hay
fois *f.* time

folâtrer to frolic
folie *f.* folly; **quelque — de son âge** some youthful folly
fonctionnaire *m.* civil servant
fond *m.* back, far end, background
fondre to melt
fonds *m.* fund, stock
force *f.* force, strength; **à force de** by dint of
forêt *f.* forest
fort strong; *adv.* very
fossé *m.* ditch, moat
fou *m.* madman; *adj.* **fou, folle** crazy
foudroyant thundering
fouet *m.* whip
fouetter to whip
fouiller to search
foule *f.* crowd
fouler to tread
fourbir to polish
fourche: —s patibulaires gallows
fourmi *f.* ant
fournée *f.* batch
fournir to furnish, provide
fourré dense
fourrer to stick, thrust
foyer *m.* hearth
fraîchement freshly
frais, fraîche fresh
frais *m.* expense
français French
franchise f. frankness
frangé fringed
frapper to knock, rap, strike
frayeur *f.* fright
frein *m.* bit (*of a horse*); **ronger son —** to fret inwardly
frêle frail
frémir to shudder, shiver
frère *m.* brother

friandises *f. pl.* delicacies, candies and cakes
fringant prancing
fripon knavish; *n.* knave; **friponne** *n. f.* hussy, minx
friser to curl
froid cold
froideur *f.* coldness
fromage *m.* cheese
front *m.* forehead; **de —** side by side
frotter to rub
fruste worn
fuir to flee
fuite *f.* flight
fumer to smoke, fertilize
funeste disastrous
fureur *f.* fury, rage, madness
fusil *m.* gun
futur *m.* future husband, fiancé; **future** *f.* future wife, fiancée

gagner to gain, earn, win
gaillard *m.* fellow; **gaillarde** *f.* wench
galanterie *f.* gallant remark
galloise *f.* woman of easy morals
gambade *f.* leap
gant *m.* glove
garant *m.* guarantor; **rendre — to** make responsible for
garçon *m.* boy, waiter, bachelor
garde: je n'eus — de I took care not to
garde-meuble *m.* storeroom
garder to keep; **se — de to** take care not to
garde-robe *f.* wardrobe
garnement; maudit — confounded scamp
garnir to garnish, adorn

garrotter to pinion

gâteau *m.* cake

gâter to spoil

gauche left

gaulois Gallic, French

gelée *f.* frost

geler to freeze

gémir to groan

gendre *m.* son-in-law

gêner to annoy, bother, hinder; ne pas se — to make no attempt at hypocrisy *or* pretense

genou *m.* knee

genre *m.* kind, class

gens *f. pl.* people

gentilhomme *m.* gentleman

gésir to lie

geste *m.* gesture

gibecière *f.* schoolbag, gamebag

giberne *f.* cartridge box

gisait *see* gésir

glace *f.* glass; ice, ice cream

glacer to chill; glacé icy

glisser to glide, slip

gloire *f.* glory, reputation

glose *f.* elaboration, comment

goémon *m.* seaweed

goût *m.* taste

goûter to taste, enjoy; *n.* light afternoon meal

goutte *f.* drop

gouvernail *m.* rudder

grâce *f.* grace, favor, mercy; — à thanks to; faire — à to pardon

gradué arranged in gradation

grain *m.* squall

graine *f.* seed

grandeur *f.* greatness

grandir to grow bigger

grange *f.* barn

grangère *f.* farmer's wife

gratuit free

graver to engrave

gravure *f.* engraving, picture

gré *m.* liking; bon —, mal — whether you are willing or unwilling

greffier *m.* clerk of court

grêle *f.* sleet

grêler to sleet

grenier *m.* attic

grès *m.* sandstone

grève *f.* strand

grief *m.* complaint

griffe *f.* claw

grillage *m.* grille, grillwork

gris gray

grisâtre grayish

grognon grumpy

gronder to growl

gros big, fat, important

grotte *f.* grotto

gué *m.* ford; passer à — to ford

guère: ne ... — scarcely

guéridon *m.* small round table

guérir to cure

guerre *f.* war

guerrier *m.* warrior

guetteur *m.* watchman

guichet *m.* small window

guide: à grandes —s with full reins, in grand style

habile clever

habileté *f.* skill

habiller to dress

habit *m.* dress, suit, dress coat

habitant *m.* inhabitant

habitude *f.* habit; comme d'— as customary

habituer to accustom

hâche *f.* axe

haie *f.* hedge

haillon *m.* rag

haine *f.* hatred

haïr to hate

haïssable hatable

haleine *f.* breath; **tenir en —** to keep on the alert; **à perte d'—** enough to make one lose one's breath

hangar *m.* shed

hanter to haunt, frequent

harceler to harass, nag

hardi bold

hardiesse *f.* boldness

hasard *m.* chance, luck

hasardé ventured

hâter: se **—** to make haste

hau! stop!

hausser to raise, shrug

haut high; **là-—** upstairs; **tout —** out loud

hautain haughty

haut-de-chausses *m.* long hose

hauteur *f.* height

haut-le-corps *m.* start, bound

havre *m.* harbor

hébreu Hebrew

hélas alas

herbe *f.* grass

hériter to inherit

héritier *m.* heir (*f.* héritière)

heure *f.* hour, time; **à la bonne —!** fine!; **de bonne —** early; **tout à l'—** just now, a few minutes ago; presently

heureux, heureuse happy, lucky, fortunate

heurter to bump, knock

hier yesterday

histoire *f.* story

hiver *m.* winter

holà! hey there!

homme *m.* man

honnête decent, well bred, honest

honoraires *m. pl.* fee, tip

honte *f.* shame

honteux, honteuse ashamed

hoquet *m.* hiccough, choking noise

hors out, outside

hôte *m.* guest, host

houle *f.* swell

housard *m.* hussar

huée *f.* hoot

huile *f.* oil (*vegetable oil*)

huissier *m.* bailiff

huit eight; **— jours** a week

huitaine *f.* about eight

hussard *m.* hussar; **à la —e** like a hussar, roughly, cavalierly

ici here

idée *f.* idea

île *f.* island

immobile motionless

impérieux, impérieuse pressing

importer to matter; **n'importe** it doesn't matter, no matter

impôt *m.* tax

imprévu unexpected

imprimer to print

impuissance *f.* impotence

impunément with impunity

impuni unpunished

inaperçu unperceived

inavouable unmentionable

incertain uncertain

incliner: s'**—** to bow

inconcevable inconceivable

inconnu unknown

incroyable incredible

indécis undecided, hesitant

indigne unworthy

indigné made indignant
inédit unpublished
inégal unequal
inégalité *f.* inequality
inépuisable inexhaustible
inespéré unhoped for
infâme infamous
infatigable indefatigable
infime contemptible
informer: s'— to inquire
infortuné unfortunate
ingénu ingenuous
injouable unplayable
injure *f.* insult
injuste unjust
inqualifiable undescribably improper
inquiet, inquiète anxious, uneasy, worried
inquiétude anxiety
insensé senseless
insensiblement imperceptibly
insouciance *f.* listlessness
instruction *f.* education, instruction
instruire to instruct, educate, investigate
insu: à son — unknown to himself
interdire to forbid
intéressé motivated by self-interest
intérêt *m.* interest, benefit, concern
interne internal
interroger to question
interrompre to interrupt
inutile useless
inutilité *f.* uselessness
ivraie *f.* tares
ivresse *f.* intoxication
ivrognerie *f.* drunkenness

jadis formerly
jais *m.* jet
jalousie *f.* jealousy
jaloux, jalouse jealous
jambon *m.* ham
janvier *m.* January
jatte *f.* bowl
jardin *m.* garden, yard
jaune yellow
jetée *f.* pier
jeter to cast, throw
jeu *m.* game, hand (*in cards*)
jeudi *m.* Thursday
jeune young
jeunesse *f.* youth
joli pretty
jonc *m.* rush
joncher to strew
joue *f.* cheek; coucher en — to aim at
jouer to play, deceive; se jouer de to make fun of
jouet *m.* toy
jouir to enjoy
jour *m.* day; huit —s a week
journal *m.* newspaper
journée *f.* day
juge *m.* judge
juger to judge
jumeau *m.* twin
jument *f.* mare
jurer to swear
jusqu'à until; — ce que until

képi *m.* cap (*of a French soldier*)

là there; là-haut upstairs
labour *m.* plowed field
labourer to plow
laboureur *m.* plowman, farmer
lac *m.* lake

lâcher to let loose, let go
laid ugly
laisser to leave, let, allow; — de to fail to
lait *m.* milk
laitière: chèvre — milch goat
laiton *m.* brass
lambeau *m.* rag, tatter
lame *f.* billow
langue *f.* tongue
languissant languid
laquais *m.* lackey
larcin *m.* larceny
large broad, wide
larme *f.* tear
las, lasse tired
lasser to tire, fatigue
laurier *m.* laurel
laver to wash
lécher to lick
léger, légère light, slight
légèreté *f.* lightness
lendemain *m.* next day
lent slow
lever to raise, levy; — de ban to call out one's subjects; se — to rise, get up
lèvre *f.* lip
lévrier *m.* greyhound
libre free
lier to bind
lieu *m.* place; au — de instead of
lieue *f.* league
ligne *f.* line
lin *m.* flax; toile de — linen
lire to read
lisible legible
lisière *f.* edge, border
lit *m.* bed
livre *m.* book
livre *f.* pound

livrer to deliver, hand over, give up; to wage (*a battle*)
location: en — on a loan
logement *m.* lodging, house
loge *f.*: — du concierge concierge's apartment
loger to lodge
logis *m.* house
loi *f.* law
loin far
lointain distant
lombard *m.* usurer
long, longue long; le — de along
longer to go along
longtemps long, for a long time; depuis — for a long time
lorgner to ogle
lorgnon *m.* eyeglass
lors = alors: — de at the time of
lorsque when
louange *f.* praise
louer to praise; se — de to be pleased with
louis *m.* *gold coin worth 20 francs*
lourd heavy
lueur *f.* light, gleam
luire to shine
lumière *f.* light
lune *f.* moon; clair de — moonlight
luron *m.* smart fellow
lutter to fight, struggle

machinal mechanical, machinelike
magasin *m.* store
mage *m.* Magian (*Oriental priest*)
magnifique magnificent
main *f.* hand
maint many, many a
maintenant now
mais but

maison *f.* house

maître *m.* master

maîtresse *f.* mistress, lady

majestueux, majestueuse majestic

mal badly, poorly; *n. m.* evil, malady, pain, sickness, disease; avoir — à la tête to have a headache

maladie *f.* sickness, disease

maladresse *f.* clumsiness

malfaiteur *m.* malefactor

malgré in spite of

malheur *m.* misfortune

malheureux, malheureuse unfortunate, unhappy

malhonnête ill-bred, dishonest

malice *f.* trick

malignement maliciously

malin tricky, sly; faire le — to try to be funny

maltôtier *m.* publican

mamelle *f.* teat, dug

manche *m.* handle

manche *f.* sleeve

mander to send

manger to eat

manière *f.* manner, way

maniéré artificial

manquer to miss, lack, fail

manteau *m.* cloak

maquis *m.* maquis (*thicket characteristic of Corsica*)

marais *m.* marsh, swamp

marbre *m.* marble

marchand *m.* merchant, shopkeeper

marché *m.* market

marcher to walk, march

mardi *m.* Tuesday

marée *f.* tide; fresh fish from the sea

mari *m.* husband

marier to give in marriage, cause to be married; se — to get married, marry; fille à — marriageable girl; mariée *f.* bride

marin *m.* sailor; *adj.* marine, pertaining to the sea

marmiton *m.* scullion

marquer to mark

marron d'Inde *m.* horse chestnut

matelas *m.* mattress

matelot *m.* sailor

matière *f.* matter

matin *m.* morning; de grand — early in the morning

maudire to curse

maugréer to grumble against

Maure *m.* Moor

maussade sulky

mauvais bad

méchant bad, poor, inferior

mécréant *m.* unbeliever

médecin *m.* doctor

méfier: se — to distrust, watch out for

méfait *m.* misdeed

meilleur better

mêler to mix

même *adj.* same, self, very; *adv.* even; de — likewise, the same; quand — even if

menacer to threaten, menace

ménage *m.* household, housekeeping

ménagère *f.* housekeeper, homemaker

mendiant *m.* beggar

mener to lead, take

ménétrier *m.* fiddler, musician, minstrel

mensonge *m.* lie

menteur *m.* liar

mentir to lie

menton *m.* chin

mépriser to scorn

mer *f.* sea

mercredi *m.* Wednesday

mère *m.* mother

méritant meritorious

merveilleux, merveilleuse marvelous, supernatural

messe *f.* mass

messire Sir

mesure *f.* measure; à — que as, in proportion as

mesurer to measure

métier *m.* profession, occupation, trade

mettre to put, put on, place

meubles *m. pl.* furniture

meurtrir to bruise

meurtrissure *f.* bruise

midi *m.* noon

mie *f.* sweetheart (*archaic*)

mieux better

mi-jambe halfway up the leg

milice *f.* militia

milieu *m.* middle; environment

mille thousand

mince thin

mine *f.* mien, air

ministère *m.* ministry

minuit *m.* midnight

mirer: se — to be reflected *or* mirrored

mode *f.* fashion

modéré moderate

modeste simple

mœurs *f. pl.* ways, habits, customs, manners

moindre less

moine *m.* monk

moins less; au —, du — at least

mois *m.* month

moisson *f.* harvest

moitié *f.* half

mondain worldly

monde *m.* world, society; le beau — the aristocracy; grand — many people; tout le — everybody

monseigneur my Lord, reverend Father

monsieur *m.* Mr., sir, gentleman, man

mont *m.* mountain

montagnard *m.* mountaineer

monter to climb, climb up

monticule *m.* little hill

montre *f.* watch

montrer to show

monture *f.* mount

moquer to mock; se — de to make fun of

morceau *m.* piece

mordre to bite

morne mournful

mors *m.* bit

mort dead; *n. f.* death

mortier: président à — chief justice

mot *m.* word

mou, molle soft

mouche *f.* fly

mouchoir *m.* handkerchief

mouflon *m.* moufflon, wild sheep

mouiller to wet

moulin *m.* mill

mourir to die

mouton *m.* sheep

moyen *m.* way, means

moyennant in consideration of

mugir to bellow, roar

mugissement *m.* bellowing
muid *m.* hogshead
mulet *m.* mule
mur *m.* wall
mûrir to ripen
mutiler to mutilate
myrteux, myrteuse pertaining to myrtles

nacelle *f.* skiff
nager to swim, float
naguère not long ago
naissance *f.* birth
naître to be born, arise
nappe *f.* sheet
narine *f.* nostril
naufragé shipwrecked
néanmoins nevertheless
néant *m.* nothingness
nef *f.* nave
négliger to neglect
négociant *m.* merchant
neige *f.* snow
nerveux, nerveuse muscular, nervous
net, nette clean, clear, simple
nettoyer to clean
neuf nine
neuf, neuve new
niais silly
niaiserie *f.* silliness
nier to deny
niveau *m.* level
noblesse *f.* nobility
noce *f.* wedding, wedding celebration
noir black
noirceur *f.* blackness, treachery
nom *m.* name
nombre *m.* number
nombreux, nombreuse numerous

nommer to name; **le nommé** a man named, a certain
nonobstant notwithstanding
nord north
nouer to tie
nourrice *f.* nurse
nourrir to feed, nourish
nourriture *f.* food, nourishment
nouveau, nouvelle new
nouvelle *f.* piece of news; *pl.* **news**
noyau *m.* pit, stone
noyer to drown
nu bare, naked
nuage *m.* cloud
nuée *f.* cloud
nuit *f.* night

obéir to obey
obscurité *f.* darkness
obstination *f.* obstinacy
obstruer to obstruct
obtenir to obtain
occidental western
occuper to occupy; **s'— de** to busy oneself with
œil *m.* eye
œuf egg
œuvre *f.* work
offenser to offend
office *m.* service (*religious*)
offrande *f.* offering
offrir to offer
oie *f.* goose
oiseau *m.* bird
oiseau-moqueur *m.* mockingbird
ombrage *m.* shade
ombre *f.* shadow, shade
ombrelle *f.* parasol
once *f.* ounce
oncle *m.* uncle
onde *f.* water

ondulation *f.* undulation
onéreux, onéreuse burdensome
ongle *m.* fingernail
opiniâtre stubborn
or *m.* gold
or now
orage *m.* storm, thunderstorm
orbite *f.* socket (*of the eye*)
ordinaire commonplace, ordinary;
  à son — as usual; d'— ordi-
  narily
ordonner to order, arrange
ordre *m.* order
oreille *f.* ear
organe *m.* organ (*of the body*),
  voice
orgueil *m.* pride
orgueilleux, orgueilleuse proud
orné adorned
os *m.* bone
oser to dare
ôter to take off, remove
oubli *m.* forgetting, act of forget-
  fulness, oblivion, oversight
oublier to forget
ouest west
ouragan *m.* hurricane
ours *m.* bear
outre in addition to; en — moreover, besides, in addition
ouvrage *m.* work
ouvrier *m.* workman, manual laborer; *adj.* working
ouvrir to open
oyant (*obsolete: present participle
of* ouïr *to hear*) hearing

paille *f.* straw, stalk
pain bread
paître to graze
paix *f.* peace

palais *m.* palace, courthouse
palefrenier *m.* groom
palefroi *m.* palfrey
paletot *m.* coat
palombe *f.* dove
panneau *m.* panel
panser to dress (*a wound*)
paon *m.* peacock
paquebot *m.* steamer, packet
paquet *m.* package, bunch
paraître to appear
parapluie *m.* umbrella
parbleu! by Gad!
parce que because
parcourir to run through, go
  through
par-dessus over, above
pardessus *m.* overcoat
pareil like, similar
parent *m.* parent, relation
parenté *f.* relationship
paresse *f.* laziness
paresseux, paresseuse lazy
parfait perfect
parfois sometimes
parfum *m.* perfume
parfumer to perfume
parler to speak, talk
parloir *m.* parlor
parole *f.* word
parrain *m.* godfather, sponsor
part *f.* part, share; de ma — from
  me, on my behalf; de la — de
  on behalf of, from; faire — à
  to inform
partager: se — to divide
parti *m.* party, match; prendre un
  or son — to come to a decision
particulier special, particular, private; *n. m.* individual
partie *f.* part, game, match, party

partir to leave, go away

partout everywhere

parure *f.* adornment

parvenir to succeed

pas *m.* step, pace; **de ce —** straightway

passant *m.* passer-by

passé *m.* past

passe-partout *m.* passkey

passer to pass, spend; **se —** to happen, occur; **se — de** to do without

patrie *f.* native land

patron *m.* skipper

patronner to sponsor

patte *f.* paw

pâture *f.* food

paume *f.* palm, handball

paupière *f.* eyelid

pauvre poor

pauvresse *f.* beggar woman

pauvrette *f.* poor thing

pavé *m.* pavement

pays *m.* country, district, region

péage *m.* fee

peau *f.* skin

pêche *f.* peach

pêche *f.* fishing

péché *m.* sin

pêcheur *m.* fisherman

pécheur *m.* **pécheresse** *f.* sinner

peindre to paint

peine *f.* pain, trouble; **être en —** to be troubled; **ne pas être la —** not to be worth the trouble

peintre *m.* painter

peinture *f.* painting

pèlerinage *m.* pilgrimage

pencher to lean

pendant during, while, for; **— que** while

pendre to hang

pendule *f.* clock

pénible painful

pensée *f.* thought

penser to think; (*archaic*) to come near

pension *f.* boardinghouse, boarding school

percer to pierce

perdre to lose

père *m.* father; **— Noël** Santa Claus (Father Christmas)

périr to perish

permettre to permit

perron *m.* front steps, landing

perte *f.* loss; **à — d'haleine** enough to make one lose one's breath

pesant heavy

pesanteur *f.* weight

peser to weigh, press down

petit little, small

peu little, slightly, not at all

peuple *m.* people, nation; common people, lower classes

peuplé populous, populated

peur *f.* fear

peut-être perhaps

phrase *f.* sentence, phrase; elegant phrase, elaborate compliment

pièce *f.* piece, room, theater

pied *m.* foot

pierre *f.* stone; **— de touche** touchstone

pierreries *f. pl.* precious stones

pierrot *m.* sparrow

pieux, pieuse pious

pinceau *m.* paintbrush, brush

piquer to goad; **se —** to pride oneself

pire worse

plafond *m.* ceiling

plaider to plead

plaindre to pity; **se —** to complain

plaire to please; **s'il vous plaît** if you please, please

plaisanter to joke

plaisanterie *f.* joke

plaisir *m.* pleasure

planche *f.* plank

plancher *m.* floor, bottom

plat flat; **à — ventre** flat on one's belly

plein full

pleur *m.* tear

pleurer to weep, cry

pleuvoir to rain

pli *m.* fold

plisser to fold

plomb *m.* lead

plonger to plunge

pluie *f.* rain

plume *f.* plume, pen

plupart: la — most

plus more

plusieurs several

plutôt rather

poche *f.* pocket; **violon de —** small violin

poêle *m.* stove

poésie *f.* poetry

poids *m.* weight

poignarder to stab

poignée *f.* handful

poing *m.* fist

point: ne ... point not at all; **au point du jour** at daybreak

poissé sticky, dirty

poisson *m.* fish

poitrine *f.* chest

poli polite

polichinelle *m.* (doll representing) Punch

pomme *f.* apple; **vert-—** apple-green

pompon *m.* ornamental tuft

pondre to lay

pont *m.* bridge, deck

pont-levis *m.* drawbridge

port port, bearing; **— de tête** way of holding the head

portail *m.* portal

porte *f.* door

portefeuille *m.* portfolio

porter to carry, bring, bear; to wear

posséder to possess

poterne *f.* postern (gate)

pouce *m.* thumb

poudre *f.* powder

poudré powdered

poudreux, poudreuse dusty

poudroyer to shimmer

poule *f.* hen

poulet *m.* chicken

poupée *f.* doll

pourquoi why

poursuivre to pursue

pourtant however

pourvoyeur *m.* caterer

pourvu que provided that

pousser to push, grow, let out

poussière *f.* dust, cloud of dust

pouvoir to be able, can

prairie *f.* meadow

pratique *f.* practice

pré *m.* meadow

précipitamment precipitately

précipitation *f.* haste

précipiter to hurry; **se —** to hurry, rush

précisément precisely

prélasser: se — to stroll along

premier, première first

prendre to take

près near; à peu —, à peu de chose — almost, about, approximately; de si — so closely

président: — à mortier chief justice

presque almost

presser to press, hurry

prestige *m.* spell

prêt ready

prétendre to claim, assert

prêter to lend

prêteur, prêteuse inclined to lend

prêtre *m.* priest

preuve *f.* proof

prévention *f.* prejudice

prévoir to foresee

prier to pray, beg

prière *f.* prayer

printemps *m.* spring

prise *f.* capture; aux —s avec struggling with

priser to value highly

privauté *f.* liberty

privé private, deprived

prix *m.* prize, price, value

prochain next, following; *n. m.* neighbor (*Biblical sense*)

procureur *m.* prosecuting attorney; — général attorney general

prodiguer to lavish

produire to produce

proie *f.* prey

projeter to plan

promener to cause to move *or* pass over; se — to stroll, walk around

promettre to promise

prononcer to pronounce

propos: à — by the way

propre clean, neat, own

propreté *f.* neatness

propriété *f.* property, estate

proscrit *m.* outlaw

protéger to protect

prouesse *f.* prowess

puis then

puiser to imbibe

puisque since

puissance *f.* power, strength

puissant powerful

qualité *f.* quality, title

quand when; — même even if

quant à as for

quart *m.* quarter

quartier *m.* block, slab

quatorze fourteen

quatre four

quelque some, a few; quelque ... que whatever

querelle *f.* quarrel

queue *f.* tail, end, queue (*group of people standing in line*)

quinze fifteen

quitte: je ne vous tiens pas — I don't let you off

quitter to leave

quoi what; — qu'il en soit whatever may be the case

quoique although

quotidien daily

rabat *m.* neckband

rabattre: se — (sur) to fall back (on)

racine *f.* root

racler to scrape

raconter to tell, relate

radieux radiant

radotage *m.* drivel

rage *f.* rage, violent desire

raide stiff, outright
railler to mock, jeer
raison *f.* reason
raisonnable reasonable
rajeunir to rejuvenate, make young again
ralentir to slow up
râler to moan
ramage *m.* song
ramasser to pick up
rame *f.* oar
ramer to row
rameur *m.* oarsman
rang *m.* rank
rappeler to recall; se — to remember
rapport *m.* connection, relation; report
rapporter to report, relate, bring back, bring in; se — to be in proportion to; s'en — à to appeal to
rapprocher to draw near, draw closer
raser to shave, skim
rasseoir: se — to sit down again
rassurer to reassure
rauque raucous
ravir to ravish, steal away; ravi delighted
ravisseur *m.* ravisher
ravoir to have again
rayonner to radiate
rebattu trite
recevoir to receive
rechange: de — extra, spare
recherche *f.* research, search
rechercher to search for
récit *m.* account, tale
récolte *f.* crop
reconnaître to recognize

recoucher: se — to lie down again
recours *m.* recourse
recouvrir to cover over
recueillir to gather in, pick up; se — to meditate
reculer to draw back, withdraw
redemander to ask for again
redingote *f.* frock coat
redite *f.* repetition
redouter to fear
redresser to erect
réduire to reduce
réel, réelle real
refermer to close again
réfléchir to reflect
réformer to reform, amend (*a judgment*)
refroidir to grow cold, become cold again
régal *m.* feast
regarder to look at
règle *f.* rule
régler to rule, decide
régner to reign
reine *f.* queen
rejeter to throw back, throw over
rejoindre to rejoin, join, catch up to
réjouir to rejoice, amuse
relation *f.* account, story
relever to raise
remarquer to notice
remercier to thank
remettre to put back, give to, remit; se — to pull oneself together
remise *f.* delay
rémora *m.* remora (*sucking fish*)
remords *m.* remorse
remplacer to replace
remplir to fill

remporter to carry off

remuer to move

renard *m.* fox

rencontre *f.* meeting, encounter

rencontrer to meet, encounter

rendre to make, render, give back; **se —** to betake oneself; **se — compte** to realize

renfler: se — to swell out

rengorger: se — to swell out one's throat

renforcer to reinforce, strengthen

renommé renowned

renouveler to renew

rente *f.* income

rentrer to return, go back into

renverser to upset

renvoyer to send back

répandre to spread, pass out

reparaître to reappear

réparer to repair, make up for

repas *m.* meal

repentir *m.* repentance

répit *m.* respite

répliquer to reply

répondre to answer, reply

réponse *f.* answer, reply

repousser to repulse, push away

reprendre to reply, resume, get back

représentation *f.* performance

reprise: à plusieurs —s several times

reproduire to reproduce

réseau *m.* network

résoudre to resolve, solve

respectueux, respectueuse respectful

respirer to breathe

ressaisir to seize again

ressembler to resemble

ressentir: se — de to smack of

ressort *m.* spring

ressortir to bring out

reste *m.* remainder, rest; **du —** besides, moreover

rester to remain, stay

rétablir to re-establish

retardataire *m.* latecomer

retarder to delay

retenir to retain, remember; to hold back

retentir to resound

retirer to withdraw, retire, pull out

retour *m.* return; **être de —** to be back, have returned

retourner to return, turn around

retraite *f.* retreat

retrouver to find, find again

réunir to unite, reunite

réussir to succeed

réussite *f.* success

rêve *m.* dream

réveil *m.* awakening

réveiller to wake up

revenir to return, come back

revers *m.* lining, lapel, facing; **— de botte** boot lining

revoir to see again

rhume *m.* cold

ricaner to snicker

riche rich; (*poetry*) rich (*said of a certain type of rime considered in French to be especially good*)

ride *f.* wrinkle

ridé wrinkled

rideau *m.* curtain

rigueur: à la — if absolutely necessary

rire to laugh

rivage *m.* shore
rive *f.* bank, shore
roc *m.* rock
roche *f.* rock
rocher *m.* rock
rôder to roam, rove
roi *m.* king
roman *m.* novel
romanesque romantic
rompre to break, break off
ronde *f.* round
ronger to gnaw; — son frein to
  fret inwardly
rose pink
roseau *m.* reed
rossignol *m.* nightingale
rôti roast
roucoulement *m.* cooing
roue *f.* wheel
rouge red
rougeâtre reddish
rouillé rusted, rusty
rouler to roll, depend
roulette: comme sur des —s as
  easy as rolling off a log
route *f.* route, road
rouvrir to reopen
roux, rousse red-haired
royaume *m.* kingdom
ruade *f.* kick (*of a horse*)
ruban *m.* ribbon
rude rough
rue *f.* street
ruisseau *m.* stream, gutter
rumeur *f.* rustling noise
rusé sly
rustre rustic

sable *m.* sand
sablon *m.* scouring sand

sabot *m.* hoof
sacré sacred
sage wise, virtuous, good
saint *m.* saint; *adj.* holy
la Saint-Jean St. John's Eve (*the
  evening of June 23*)
Sainte-Écope Saint Bailing-scoop
saisir to seize
saison *f.* season
sale dirty
salir to soil, dirty
salle *f.* hall, room; — à manger
  dining room
salon *m.* living room, drawing
  room
saluer to greet, bow to
salut *m.* bow, greeting, salvation
samedi *m.* Saturday
sang *m.* blood
sanglant bloody
sanglot *m.* sob
sangloter to sob
sangsue *f.* leech
sans without
santé *f.* health
sapin *m.* fir
satisfaire to satisfy
saule *m.* willow
saute *m.* leap
sauter to jump, leap, skip
sauvage savage
sauver to save; se — to escape, run
  away
savant learned
savoir to know
scruter to scrutinize
sec, sèche dry, severe
sécher to dry
seconder to second, support
secouer to shake
secourable helpful

secours *m.* help, aid

secousse *f.* shock

seigneur *m.* lord

sein *m.* bosom, breast

séjour *m.* abode

sel *m.* salt

selon according to

selle *f.* saddle

seller to saddle

semailles *f. pl.* sowing

semaine *f.* week

semblable like, similar to

sembler to seem

semer to sow

semeur *m.* sower

sens *m.* sense, meaning, direction

sentier *m.* path

sentiment *m.* sentiment, feeling

sentir to feel, smell; se — de to be aware of; ne se sent pas is beside himself

serrer to press, squeeze tightly; shut up, keep

serrure *f.* lock

serviable obliging

servir to serve; se — de to make use of; ne sert de rien is of no use

seuil *m.* threshold, sill

seul alone, only, single

seulement only

seulette (*fem. dimin.*) alone

siècle *m.* century

siège *m.* siege; seat

sifflement *m.* whistling

siffler to whistle

sifflet *m.* whistle

siffloter to whistle softly

signaler to call attention

signifier to mean

sillon *m.* furrow

simonie *f.* simony (*the crime of buying or selling church offices*)

simuler to imitate, feign, resemble

sinon if not, otherwise

sitôt as soon

six six

sœur *f.* sister

soif *f.* thirst

soigneusement carefully

soin *m.* care

soir *m.* evening

soit so be it; soit ... soit whether . . . or

soldat *m.* soldier

soleil *m.* sun

solennel, solennelle solemn

solliciteur *m.* petitioner

sombrer to sink

somme *f.* sum

sommeil *m.* sleep

sommeiller to doze

son *m.* sound

sonder to examine (by sounding or knocking), probe

songe *m.* dream, revery

songer to think, dream

sonner to strike, sound, ring

sonnerie *f.* bell

sonnette *f.* bell

sorcier *m.* magician

sort *m.* fate

sorte: de — que so that, with the result that

sortir to go out

sottise *f.* stupidity

sou *m. coin worth 5 centimes*

souci *m.* care

se soucier to care, pay attention to

soudain sudden

souffle *m.* breath, blast

souffler to blow

souffleter to slap
souffrir to suffer
souhait *m.* wish; à — as well as could be desired
soulager to relieve
soulever to raise
soulier *m.* shoe
soumettre to submit
soupçonner to suspect
souper *m.* supper; *v.* to sup
soupir *m.* sigh
soupirail *m.* cellar window
soupirant *m.* suitor
soupirer to sigh
source *f.* spring
sourd deaf, dull
sourire *m.* smile; *v.* to smile
soustraire: se — to escape, remove
soutane *f.* cassock
soutenir to sustain
souvenir *m.* memory; se — de to remember
souvent often
spectacle *m.* show, theatrical performance
stupéfait stupefied
stylet *m.* stiletto
subsister to assure one's living, continue
suc *m.* juice
sucré sugared, sweetened, sweet
sucrerie *f.* sweet saying, mush
sud south
sueur *f.* sweat
suffire to suffice, be sufficient
suffisamment enough
suggérer to suggest
Suisse *f.* Switzerland
suite *f.* following, result, conclusion; retinue; dans la — later

on; tout de — at once, immediately
suivre to follow
sujet *m.* subject
supplice *m.* torture, punishment
supplier to beg
suppôt *m.* aid, agent
sûreté *f.* safety
surlendemain *m.* in two days (*the day after the day after tomorrow*)
surmonter to surmount, overcome
surprendre to surprise
surtout especially

tableau *m.*: — noir blackboard
tablier *m.* apron
tacher to stain, spot
tâcher to try, attempt
taille *f.* stature, height, figure
taillis *m.* undergrowth
taire to be *or* become silent
talon *m.* heel
tandis que while, whereas
tant so much, as much, as long; tant ... que both . . . and; — bien que mal more or less well
tante *f.* aunt
tantôt presently; tantôt ... tantôt now . . . now
tapage *m.* racket, din
tapisser to carpet
tapisserie *f.* tapestry
tard late
tarder to delay
tardif, tardive backward
tarir to dry up
tas *m.* pile
taudis *m.* hovel
teint *m.* complexion
teinte *f.* tint

témoignage *m.* evidence
témoigner to show evidence of
témoin *m.* witness
temps *m.* time, weather; de — en — from time to time
tendre to extend, stretch
tendresse *f.* affection
tenir to hold, stand; tenez! *or* tiens! look here! s'en — à to fall back on; à quoi s'en — what is (*or* was) what; il ne tient qu'à vous it lies within your hands
tentation *f.* temptation
tenter to try, attempt; to tempt
tenue *f.* bearing; (*music*) sustained note
terme *m.* terminus
terminer to finish
terne dull, colorless
terrain *m.* land
terrasser to overthrow
terre *f.* land, property
tête *f.* head; avoir mal à la — to have a headache; port de — way of holding the head
tiers third
tillac *m.* poop (*raised part of deck*)
timbre *m.* tone, quality (*of a sound*)
tintamarre *m.* din
tir *m.* shooting
tirailler to skirmish
tire: à — d'aile at a single flight
tirer to pull, draw, shoot
tireur *m.* shooter; shot
titre *m.* title, qualification
toile *f.* canvas; — de lin linen
toison *f.* fleece
toit *m.* roof

tomber to fall
ton *m.* tone
tonnerre *m.* thunder
torçonnier *m.* extortioner
tort *m.* wrong; à — wrongly; à — et à travers at random
tortue *f.* turtle
tôt soon
touffu bushy
toujours always
toupie *f.* top
tour *m.* turn, circuit, circumference; — à — in turn
tour *f.* tower
tourner to turn
tournoi *m.* tournament
tournoyer to turn around, whirl
tout *pl.* tous, toutes all; — à coup, suddenly; — à l'heure just now, a few minutes ago, presently; — le monde everybody; tous deux both
toutefois however, nevertheless
trahir to betray
trahison *f.* treason, treachery, betrayal
traîner to drag
traite *f.* journey
traiter to treat
trajet *m.* trip
trancher to cut, cut across
traquer to track down
travail *m.* work
travailler to work
travers: à — across; au — de through; à tort et à — at random; de — crooked
traverse *f.* crosspiece; chemin de — crossroad
traverser to cross; (*of rain*) to wet through

trembloter to flicker

tremper to dip, soak

trente thirty

trésor *m.* treasure

tressaillir to shudder

trier to pick out

triste sad

tristesse *f.* sadness

trois three

trombe *f.* waterspout

tromper to deceive; **se —** to be mistaken

tronc *m.* trunk

trop too, too much

trope *f.* figure of speech

trottoir *m.* sidewalk

trou *m.* hole

troupeau *m.* flock

trouver to find; **se —** to be, be situated

tuer to kill

Turc *m.* Turk; **le Grand —** the Sultan

tuyau *m.* pipe; **— de la cheminée** chimney

unanime unanimous

uni united

unique unique, only

usage *m.* usage, experience; **d'—** habitual

user to wear out, make use of; **en —** to arrange

ustensile *m.* utensil

utile useful

vaciller to sway

vague *f.* wave

vaincre to conquer

vainqueur *m.* conqueror

vaisselle *f.* table service

valeur *f.* value, worth

vallon *m.* valley

valoir to be worth; **se faire —** to appear important

valse *f.* waltz

valseur *m.* waltzer, dancing partner

vanter to boast

vaudeville: couplet de — chorus of a popular song

vaurien *m.* good-for-nothing

veille *f.* day before, preceding day

veillée *f.* vigil, nightwatch

veiller to watch over

velours *m.* velvet

vendeur *m.* vendor, seller, salesman

vendre to sell

veneur: grand — chief huntsman, master of the hounds

venger to avenge

venir to come; **— de** to have just; **— à bout** to succeed; **à tout venant** as (my) fancy dictated

vent *m.* wind

ventre *m.* belly; **à plat —** flat on one's belly

verdoyer to be verdant, glimmer green

verger *m.* orchard

véritable true, real

vérité *f.* truth

vermeil *m.* silver gilt

vermisseau *m.* worm

verre *m.* glass

verreries *f. pl.* objects made of glass

vers toward

vers *m.* verse

verser to pour

vert green; —**-pomme** apple-green
vertu *f.* virtue, power
verveine *f.* verbena
veste *f.* coat
vêtement *m.* garment
veuf *m.* widower; **veuve** *f.* widow
viande *f.* meat
vicier to vitiate
vide empty; *n.* emptiness
vider to empty
vie *f.* life
vieillard *m.* old man
vieillir to grow old
vierge *f.* virgin
vieux, vieille old
vif, vive keen, lively, vigorous
vilain ugly, nasty
ville *f.* city, town
vin *m.* wine
vingt twenty
vingtaine *f.* twenty, about twenty
vingt-cinq twenty-five
violon *m.* violin; — **de poche** small violin
visage *m.* face
viser to aim
visiter to visit, inspect
vite fast, quick
vitesse *f.* speed
vitre *f.* windowglass, windowpane
vitreux glassy
vitrier *m.* glazier

vivacité *f.* quickness, liveliness
vivement keenly, sharply
vivre to live
voguer to sail, row
voici here is
voie *f.* way, road; **en bonne —** coming right along
voilà there is
voile *m.* veil
voile *f.* sail; **faire —** to set sail
voir to see
voisin *m.* neighbor
voisinage *m.* neighborhood
voiture *f.* carriage, vehicle, car
voix *f.* voice
vol *m.* flight
volage flighty
voler to steal
voleur *m.* thief
volonté *f.* will
volontiers willingly
voltigeur *m.* light infantryman
volupté *f.* pleasure
vouloir to wish, want; — **dire** to mean
voûté bent
vrai true
vu on account of
vue *f.* view

zébré striped
zèle *m.* zeal

Index of Authors